Rédaction : Suzanne Agnely et Jean Barraud,
assistés de J. Bonhomme, N. Chassériau et L. Aubert-Audigier.
Iconographie : A.-M. Moyse, assistée de N. Orlando.
Mise en pages : E. Riffe, d'après une maquette de H. Serres-Cousiné.
Correction : L. Petithory, B. Dauphin, P. Aristide.
Cartes : D. Horvath.

la Colombie   le Pérou

l'Amérique des Andes

l'Équateur   la Bolivie

le Paraguay

le Chili

Librairie Larousse

17, rue du Montparnasse, 75006 Paris.

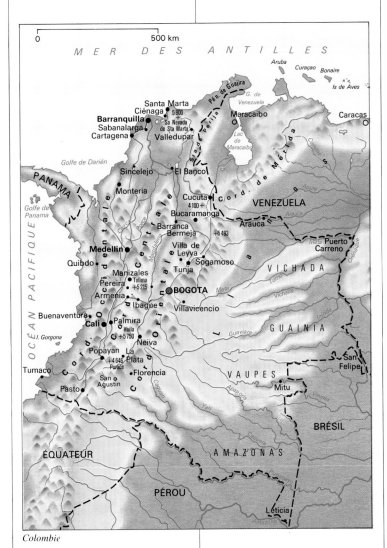

Colombie

la *Colombie*

pages 1 à 20

rédigé par Annick Benoist

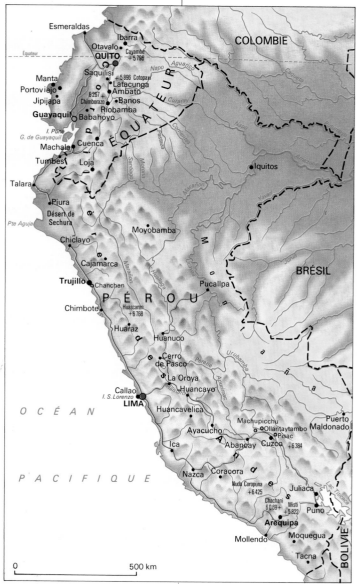

Pérou, Équateur

la Bolivie

pages 1 à 17

rédigé par

Marie-Christine Raitberger

le Paraguay

pages 1 à 3

rédigé par

Marie-Christine Raitberger

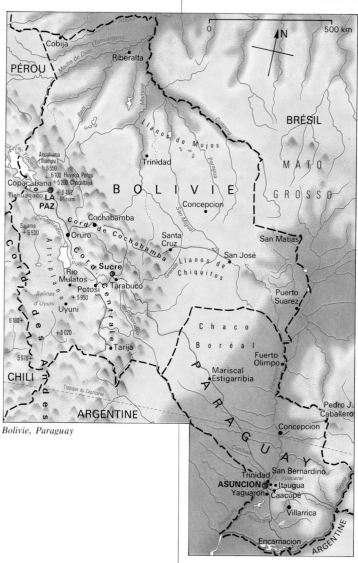

Bolivie, Paraguay

le Pérou

pages 1 à 15

rédigé par Annick Benoist

l'Équateur

pages 1 à 5

rédigé par Annick Benoist

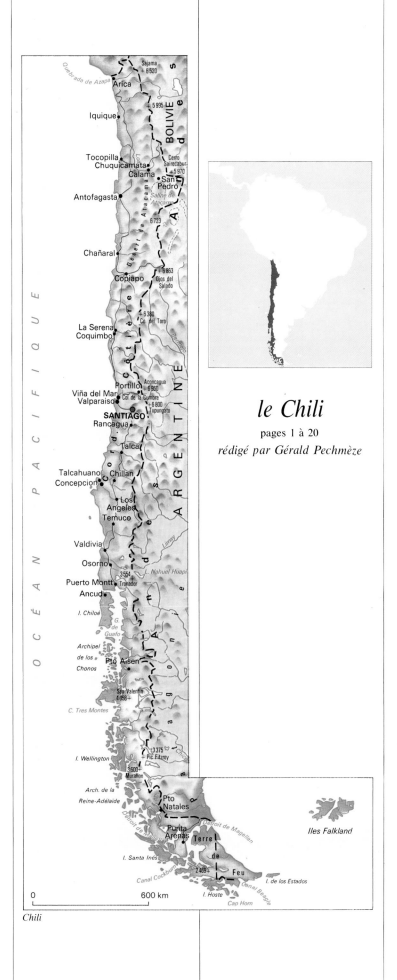

le Chili

pages 1 à 20

rédigé par Gérald Pechmèze

Chili

la Colombie

Deux fenêtres : l'une sur la mer des Caraïbes (ou des Antilles) ; l'autre sur l'océan Pacifique. À l'est, d'immenses savanes, qui s'effacent aux abords de la forêt amazonienne. Au centre, une triple cordillère, épine dorsale géographique et humaine du pays, orientée nord-sud. À l'ouest, enfin, une plaine côtière hostile, à peine peuplée. Telle se présente la Colombie, quatrième État de l'Amérique du Sud par la superficie (après le Brésil, l'Argentine et le Pérou).

Diversité des paysages, mais aussi des climats et des populations. Quelle différence entre la chaleur sèche de la côte nord et l'air glacé de Bogotá, la capitale ! Quoi de commun entre l'exubérance des Noirs de Cartagena, descendants d'esclaves, et le silence des Indiens des hauts plateaux ou de l'Amazonie ? Pourtant, que l'on ne s'y trompe pas : la Colombie, plus que tout autre pays andin, tient davantage du melting-pot que du puzzle. Les hommes s'y sont sans cesse brassés, mêlés, et le Colombien d'aujourd'hui n'est pas tant noir, blanc ou rouge que métis, mulâtre ou sang-mêlé. La fusion des races, l'homogénéité sont telles qu'elles semblent avoir existé de tout temps, alors qu'elles sont relativement récentes : la Colombie est l'un des derniers bastions du continent à avoir capitulé devant l'envahisseur espagnol.

La conquête impossible

Une fenêtre sur les Caraïbes... N'est-ce pas, en cette fin de XVᵉ siècle, une voie toute tracée pour les conquistadores se dirigeant vers le sud ? Il faut croire que non, puisque l'Équateur et le Pérou seront soumis avant même que l'on

ne pénètre à l'intérieur de la Colombie. Pendant plus de trente ans, les compagnons de Christophe Colomb vont jouer de malchance. En 1499, Alonso de Hojeda, fidèle lieutenant du *Descubridor,* aborde au sud-ouest de la mer des Antilles. Simple reconnaissance. Il apprend que les Caraïbes (ou Caribes), des Indiens réputés pour leur férocité, hantent ces rivages au calme trompeur. Il reviendra plus tard en « Terre-Ferme ». Ce qu'il lui faut, d'abord, ce sont des chevaux, des hommes et des armes.

Dix années passent. En 1509, Alonso de Hojeda et Juan de la Cosa prennent la tête d'une expédition financée par le roi d'Espagne. Les deux conquistadores retrouvent les plages de la côte caraïbe, longues étendues de sable gris, frangées de bosquets d'arbustes brûlés par le soleil. Dès que la petite troupe s'avance à l'intérieur des terres, elle est accueillie par une

▲

Parque Arqueológico de San Agustín : on ne sait pratiquement rien de la peuplade préhistorique qui, quelque deux mille ans avant l'arrivée des Espagnols, éleva des centaines de statues à des dieux inconnus.
Phot. M.-L. Maylin

Histoire
Quelques repères

Époque précolombienne : les Indiens Chibchas dominent les hauts plateaux, tandis que le littoral est occupé par des Caraïbes anthropophages.

1499 : Alonso de Hojeda aborde en Colombie, lors du troisième voyage de Christophe Colomb.

1501 : Rodrigo de Bastidas découvre la baie de Cartagena.

1509 : Alonso de Hojeda et Juan de la Cosa tentent en vain de pénétrer à l'intérieur du pays.

1524 : Bastidas s'installe sur le rivage caraïbe avec 450 colons et fonde Santa Marta, tandis que Francisco Pizarro, venu de Panamá, débarque à Puerto del Hambre, sur le Pacifique.

1533 : Pedro de Heredia fonde Cartagena sur la côte caraïbe.

1536 : Sebastián de Benalcázar fonde les villes de Cali et de Popayán au sud du pays ; Gonzalo Jiménez de Quesada explore le río Magdalena.

1538 : Jiménez de Quesada soumet les Chibchas et fonde Ciudad Nueva de Granada, près de l'actuelle Bogotá.

1542 : la future Colombie, baptisée «Nouvelle-Grenade», est rattachée à la vice-royauté de Lima (Pérou).

1717 : Bogotá, capitale de la nouvelle vice-royauté de Terre-Ferme (comprenant le Venezuela).

1768 : Bogotá commerce librement avec Lima.

1811 : velléités d'indépendance, sévèrement réprimées par les Espagnols.

1819 : deuxième soulèvement en Nouvelle-Grenade ; Bolívar entre à Bogotá ; constitution de la république de Grande-Colombie, réunissant le Venezuela et la Nouvelle-Grenade ; Bolívar, président.

1822 : l'Équateur est intégré à la Grande-Colombie.

1830 : mort de Bolívar à Santa Marta ; l'Équateur et le Venezuela font sécession.

1849-1902 : succession de guerres civiles ; les libéraux (anticléricaux et fédéralistes) et les conservateurs (centralistes) alternent au pouvoir.

1903 : la région de l'isthme fait sécession et forme la république indépendante de Panamá.

1948-1958 : guerre civile entre libéraux et conservateurs ; 200 000 morts en dix ans.

1958 : libéraux et conservateurs conviennent d'alterner à la présidence.

1974 : de nouveau, les deux groupes présentent chacun leur candidat aux élections présidentielles.

grêle de flèches trempées dans le curare. Elle bat aussitôt en retraite, mais pas assez vite : la moitié des hommes sont tués. Capturé, ligoté à un arbre, Juan de la Cosa meurt comme saint Sébastien, criblé de flèches. Les Espagnols sont prévenus : les Caraïbes ne dérogent pas à leur réputation.

Une quinzaine d'années s'écoulent avant qu'un autre conquistador, Rodrigo de Bastidas, ne s'établisse sur la côte. Il est accompagné de 450 colons, et l'an 1525 voit s'élever les premières fondations de Santa Marta, ville pionnière de l'Amérique latine. Est-ce à dire que la «Terre-Ferme» est sur le point d'être

découverte? Assurément pas. Déjà, Francisco Pizarro, futur conquérant du Pérou, s'est aventuré sur la «mer du Sud», et l'accueil que lui a réservé le littoral du Pacifique n'avait rien à envier à celui des Caraïbes de la côte nord.

Se conformant aux indications des Indiens, Pizarro arrive en 1524 à l'embouchure du Piru, qu'il baptise «río San Juan». Inquiétante forêt que cette masse d'arbres enchevêtrés, d'où parviennent des caquetages de perroquets, des hurlements de singes et des rugissements de fauves. Les silences soudains sont plus inquiétants encore, et leur atmosphère oppressante met les Espagnols mal à l'aise. Chacun retient son souffle, comme si l'ennemi était tapi dans l'ombre. Et il l'est. Un léger sifflement, et une flèche vient traverser la gorge d'un des monstres barbus.

Quelle folle intrépidité pousse ces hommes bardés de fer à poursuivre leur quête d'aventure en plein enfer vert? La chaleur moite est insupportable, on patauge dans la fange, les chevaux s'enlisent. On n'est à l'abri ni des moustiques, ni des serpents, ni de ces araignées géantes, noires et velues, qui se laissent choir mollement d'un arbre, prêtes à tuer. Les caïmans sommeillent dans l'eau croupie du fleuve, la seule que l'on puisse boire. Quant aux vivres, les Espagnols en sont réduits à manger jusqu'au cuir de leurs ceinturons. Pour tous, le río San Juan devient *el Puerto del Hambre*, «le Port de la Faim». Non loin, au large, les îles du Coq et Gorgona ne sont pas plus accueillantes. Laissant au nord ces rivages de cauchemar, c'est en Équateur que Pizarro foulera enfin le sol de la *Tierra Incognita*. L'empire inca de Cuzco, au Pérou, sera détruit avant même que la civilisation des Chibchas de Colombie ne soit découverte, et il faudra le miroitement de récits fabuleux, soigneusement entretenu par les Indiens, pour convaincre les conquistadores de s'enfoncer dans les terres.

Le pays de l'Homme doré

Certains ont parlé de mythe, et il est vrai qu'aucun Espagnol ne l'a jamais rencontré. Pourtant *el Dorado*, l'«Homme doré», a bel et bien existé. C'était un cacique qui, à l'occasion de certaines cérémonies, s'enduisait le corps de graisse et de poudre d'or. Des prêtres l'accompagnaient en barque jusqu'au milieu du petit lac

◄

Le célèbre Museo del Oro de Bogotá abrite une fabuleuse collection d'objets d'art précolombien.
Phot. M. Bruggmann

de Guatavita, au-dessus de la ville de Bogotá. Resplendissant au soleil couchant, l'Homme doré jetait de l'or et des émeraudes dans les eaux avant de s'y plonger. Tout l'or dont il était couvert se répandait alors autour de lui, formant une nappe éblouissante. Était-ce une offrande au Soleil qui, à l'instar d'autres civilisations pré-colombiennes, représentait la divinité suprême? La foule, aussitôt, acclamait le souverain et jetait à son tour de l'or et des bijoux dans les

eaux profondes du lac. Cette tradition, qui devait s'éteindre bien avant l'arrivée des Espagnols en Terre-Ferme, n'en fut pas moins relatée des années durant. En 1532, lors de la rencontre de l'Inca Atahualpa et de Francisco Pizarro au camp de Cajamarca (Pérou), un ambassadeur chibcha vante les richesses de son cacique. Les étrangers n'ont-ils pas souvenir d'avoir rencontré, sur la côte hostile, des Indiens aux joues enchâssées de clous d'or?

Benalcázar, lieutenant de Pizarro et bientôt maître de Quito (Équateur), n'a pas oublié, lui.

En 1536, Benalcázar remonte vers le nord et parvient rapidement en territoire chibcha. Il y fonde aussitôt les villes de Popayán et de Cali. La même année, un conquistador andalou, Gonzalo Jiménez de Quesada, décide d'explorer le pays à partir de la côte nord. Depuis l'édification de Santa Marta, un autre conquistador, Pedro de Heredia, a fondé Cartagena de

▲
Dans la province de Nariño, près de la frontière équatorienne, le relief tourmenté des Andes forme une série de massifs que les géographes ont baptisés « archipel colombien ».
Phot. Vuillomenet-Rapho

la Colombie

3

en 1781. Un second soulèvement, en 1811, se solde également par un échec.

Il faut attendre 1819 et l'entrée à Bogotá du *Libertador* Simón Bolívar pour que la Nouvelle-Grenade devienne enfin une république et prenne le nom de Colombie, en l'honneur de celui qui — à défaut d'avoir connu cette terre — découvrit l'Amérique. Jusqu'en 1830, la nouvelle république forme, avec le Venezuela et l'Équateur, la Grande-Colombie, confédération d'États présidée par Bolívar. Puis, les autres pays ayant fait sécession, elle reprend son nom de Nouvelle-Grenade, qu'elle échangera contre celui de Colombie en 1903, lorsque la région de l'isthme formera la république indépendante de Panamá.

La Carthagène des Indes

Dans le monde des Caraïbes, tout est plus chaud, plus bruyant, plus coloré. Qu'il s'agisse de Cartagena, de Barranquilla ou de Santa Marta, les ports de la mer des Antilles vibrent de la gaieté proverbiale des *costeños*, les gens de la côte. On y parle plus vite que dans la *Sierra*, tronquant les mots, avalant les « s » finaux de peur de manquer la syllabe suivante. On y danse plus volontiers aussi, aux rythmes afro-latins si populaires aujourd'hui. Partout, dans les *cantinas* (« bars ») comme dans les autobus, les transistors hurlent — entre un message publicitaire et une prière à la Vierge des Douleurs — des *cumbias* (danses typiques de la côte caraïbe) endiablées. Sous la chaleur torride, la rue ressemble à une ruche.

Sur le marché de Cartagena, la foule se presse autour des étals de viande grouillants de mouches. Tout près, le marché aux fruits offre un spectacle de kaléidoscope. Goyaves, papayes, ananas, mangues, melons, pastèques, fraises... Que ne propose-t-on pas dans les baraques vétustes où chaque vendeur dispose de la sacro-sainte *batidora*, le mixeur électrique ? C'est que la grande spécialité locale est le jus de fruits frais. Du jus de canne à celui de *maracuya* (« fruit de la Passion »), rien ne manque à la liste criée aux badauds d'une voix stridente. Et l'on a droit aux mélanges les plus inattendus, aux combinaisons les plus audacieuses.

Ici, les tranches d'ananas se vendent au détail, le prix variant en fonction de l'épaisseur. Là, un marchand fait voler en éclats, d'un seul coup de machette, une noix de coco dont on mâchonnera longuement les morceaux en se promenant. Alentour, les gargotes servent le *tinto*, la traditionnelle petite tasse de café, et l'*aguardiente*, l'alcool blanc de canne à sucre. Dès le matin, chacun s'attable devant les *huevos pericos* (œufs brouillés aux tomates et aux oignons) en attendant le succulent repas de midi. Sans doute commandera-t-on alors du riz et des *frijoles* (haricots noirs), qui disparaîtront sous une sauce piquante et du poisson grillé. Le soir venu, on se rendra à nouveau au marché et on dînera à l'une des minuscules tables,

---

las Indias. Le littoral caraïbe est désormais aux mains des Espagnols. Quesada, après avoir donné à la terre inconnue le nom de « Nouvelle-Grenade », entreprend de remonter le río Magdalena. Son but est double : conquérir le territoire et les âmes païennes ; découvrir le fameux *el Dorado*. Avec 3 000 Indiens, 700 aventuriers et 3 brigantins, il s'enfonce dans les méandres sans fin de l'immense fleuve. Bientôt, la faim se fait cruellement sentir. Faute de mieux, on mange les chevaux morts à la tâche et jusqu'aux cadavres des mercenaires indiens et des compagnons d'infortune. Malgré tous les obstacles, on extermine les tribus au passage et on parvient enfin au « val des Châteaux », dont les maisons ont des portes en or et où on viole les sépultures pour trouver des émeraudes. On s'aperçoit alors qu'*el Dorado* n'est pas seulement un homme, mais une contrée tout entière, l'Eldorado. Et voilà que, après l'enfer, Jiménez de Quesada débouche dans la vallée fertile de Bucaramanga. Il ne lui reste que 170 hommes. Pourtant, ces épaves, en dépit de leur petit nombre, vont réduire à merci les Indiens qui viennent à eux en souriant.

Des adorateurs du Soleil

Heureux et pacifiques, les Chibchas avaient fait de la région du Boyacá leur territoire sacré. Ils y avaient édifié, à Sogamuxi (Sogamoso), leur premier temple du Soleil. L'astre suprême — appelé Bochica — était pour eux l'équivalent du Quetzalcóatl aztèque et du Viracocha inca. Leur gouvernement reposait sur une confédéra-

---

tion de tribus, commandées chacune par un *zipa* détenant à la fois le pouvoir politique et l'autorité religieuse. À leur tête se tenait une sorte d'archiprêtre, le *zipa* de Bacatá. Sans avoir le raffinement de leurs voisins du Nord et du Sud, les Chibchas avaient atteint un certain niveau de civilisation. Leur législation était sommaire, mais juste. Excellents agriculteurs et remarquables tisserands, ils étaient surtout habiles dans l'art de la céramique et dans l'orfèvrerie. Leur travail des pierres précieuses et de l'or était renommé par-delà les frontières et leur assurait un commerce prospère.

Les Chibchas soumis, la future Bogotá fondée sous le nom de Ciudad Nueva de Granada, Jiménez de Quesada s'aperçoit qu'il n'est pas le seul tenant des lieux. Benalcázar et ses hommes sont venus du sud. En 1539, un Allemand, Nikolaus Federmann, arrive de l'est à la tête d'une colonne. Mais tout s'arrange : Benalcázar rejoint Quito, et l'Allemand cède son détachement moyennant finances.

Ailleurs, cependant, des rivalités s'élèvent entre conquistadores. Charles Quint, pour éviter les abus, forme en 1542 les vice-royautés de la Nouvelle-Espagne (Mexique) et de Lima (Pérou). C'est à cette dernière qu'est subordonnée la Nouvelle-Grenade, qui ne deviendra elle-même vice-royauté qu'en 1717. Mais, peu à peu, comme partout dans le continent, on cherche à secouer le joug espagnol. Les impôts sont lourds, et on se sent davantage créole que sujet de Sa Majesté. La soif d'indépendance se manifeste, et une première rébellion contre la métropole, dite « des *comuneros* », est étouffée

---

▲
Isolée à la pointe nord de la cordillère des Andes, la haute sierra Nevada de Santa Marta domine la côte chaude de la mer des Caraïbes.
Phot. Chapelle-Explorer

▶
Cartagena, d'où les galions chargés d'or cinglaient jadis vers l'Espagne, a conservé de nombreux souvenirs de son riche passé colonial.
Phot. Langley-Pictor-Aarons

la Colombie

la Colombie

d'une propreté douteuse, où vacille la flamme d'une lampe à pétrole.

Au soleil du petit matin, Cartagena resplendit de toute sa blancheur. Fondée en 1533 par Pedro de Heredia, celle que l'on baptisa tour à tour « Carthagène des Indes », « Flor de Agua » et « Ville héroïque » avant de la comparer à la hollandaise Rotterdam, n'a rien perdu de son ambiance coloniale.

Les ruelles étroites, toujours pavées, sinuent autour des places ombragées de palmiers. Les maisons basses, blanchies à la chaux, sont coiffées de tuiles rouges. Leurs façades s'ornent ici de balcons en bois sculpté, là de moucharabiehs. En poussant leurs magnifiques portes cloutées, on est accueilli par le ruissellement d'une fontaine, la fraîcheur d'un patio, comme s'il ne s'était pas écoulé des siècles depuis que les Espagnols édifièrent ces demeures seigneuriales. Car c'est ici, au centre de la vieille ville, que vécurent gouverneurs, inquisiteurs, nobles et officiels venus d'Estrémadure, de Castille ou de Galice. Rue Santo Domingo s'élève la demeure des comtes de Pestagua ; rue de la Factoria, celle du marquis de Valdehoyos. On pourrait en citer bien d'autres. Mieux vaut se laisser aller à la flânerie, les découvrir au hasard, tout comme les églises et les couvents qui se dressent à chaque carrefour. Églises jésuites, couvents franciscains... Les ordres religieux rivalisèrent de talent et d'imagination (sans parler de richesse) dans l'art baroque. Les

▲
Chez les Indiens Kogis, qui vivent dans les hautes vallées de la sierra Nevada de Santa Marta, les petites cases rondes sont destinées aux femmes et aux enfants : les hommes logent à part, dans un bâtiment plus vaste.
Phot. Moser-Tayler-A. Hutchison Lby

inquisiteurs eux-mêmes ne furent pas en reste. Il n'est que de voir, Plaza Bolívar, leur palais à la façade magnifiquement sculptée, aux cloîtres et aux patios successifs, couronnés de balustrades qui sont des chefs-d'œuvre de l'époque coloniale.

Une courte promenade à pied mène aux fortifications. Rarement murailles ont si bien mérité ce nom. Plaza de las Bovedas, elles ont 12 m de haut et de 15 à 18 m d'épaisseur. Elles furent bâties en 1799, au cours de l'une des multiples entreprises de reconstruction de Cartagena. Dès sa fondation, en effet, la ville fut en butte aux assauts. Aussi devint-elle le port le mieux fortifié de la « Castille d'or », mieux, du « Grand Empire espagnol d'outre-mer ». Le roi Philippe II ne déclarait-il pas, à l'Escurial : « J'ai dépensé tant d'or pour la construire que, d'ici, je devrais apercevoir ses murailles. »

Point de départ des galions chargés d'or à destination de l'Espagne, Cartagena attendait avec impatience le retour de la *flota* chargée des marchandises envoyées par la métropole. Aussitôt débarquées, celles-ci étaient emmagasinées dans des entrepôts dispersés à l'intérieur de la ville fortifiée. C'est pourquoi la citadelle fut, pendant deux siècles, une proie idéale pour les corsaires, boucaniers et autres flibustiers qui semaient la terreur dans les Caraïbes. En 1544, onze ans seulement après sa construction, Cartagena est mise à sac par le Français Robert Baal. En 1586, sir Francis Drake, accompagné de 1 300 hommes, la prend d'assaut. Les flibustiers français Pointis et Ducasse la pillent de fond en comble en 1697. L'attaque la plus violente, dirigée par sir Edward Vernon, a lieu en 1741. Pendant 56 jours, 27 000 hommes et 3 000 pièces d'artillerie assiègent Cartagena. En vain. La ville est devenue une formidable place forte. La baie ne communique avec la mer que par deux goulets, situés au sud de la forteresse : Boca Grande et Boca Chica. Le premier, barré par une digue sous-marine, est condamné ; le second est fermé par une chaîne tendue entre deux bastions. Tout navire pénétrant dans cette enceinte fortifiée ne peut plus en ressortir et tombe sous la canonnade des fortins qui jalonnent le rivage, à laquelle s'ajoute celle du puissant fort de San Felipe, qui domine la ville.

Plus tard, en 1812, Bolívar fait de Cartagena son centre stratégique. Après une longue résistance, qui lui vaut le titre de « Ville héroïque », la forteresse est reprise par les royalistes en 1815. Elle recouvrera définitivement sa liberté cinq ans plus tard.

Le gris des remparts tranche singulièrement avec la blancheur des maisons basses. De même, le silence qui entoure les fortifications contraste avec la vie bruyante et animée des *Cartageneros*. Car l'humeur est à la fête sous le ciel bleu et le soleil brûlant des Caraïbes. Chaque année, le 2 février, les pèlerins gravissent la colline jusqu'au monastère de la Popa. C'est le jour d'adoration de la Vierge miraculeuse, celle qui protège des pirates et de la peste. Chaque 11 novembre, on commémore l'indépendance de la ville, et les mascarades

défilent au rythme des *bombos* (tambours) et des maracas, sous une bataille de fleurs. Mais la fête a lieu tous les jours, au coucher du soleil, quand les *zambos* (métis de Noirs et d'Indiens) quittent leur travail et, pour une raison ou pour une autre, se mettent à danser le *porro* ou la *cumbia*.

Ici finissent les Andes

Au nord-est de Cartagena, le grand port de Barranquilla s'étale sur 16 km dans l'estuaire du río Magdalena. La plus grande partie du commerce extérieur de la Colombie transite par cette ville bruyante, où les rues offrent, tout au long de l'année, le spectacle de parades, de défilés carnavalesques, de danses et de processions. L'élection de la reine de Beauté y revêt un caractère d'extrême importance : ses résultats — comme ceux des matchs de boxe et de football — sont discutés avec passion, voire avec violence. Combien de rivalités et d'incidents diplomatiques le sujet n'a-t-il pas fait naître avec d'autres nations latino-américaines !

Si Barranquilla s'enorgueillit d'être, par ses tournois de tennis, la « Wimbledon » sud-américaine, sa voisine, Santa Marta, se présente comme la plus grande station balnéaire de Colombie. À ce superlatif, les férus d'histoire préfèrent celui de « plus ancienne ville du continent ». Pour eux, c'est aussi la cité qui vit s'éteindre dans le dénuement, le 17 décembre 1830, à l'hacienda de San Pedro Alejandrino, le *Libertador* Simón Bolívar, âgé de 47 ans.

À quelques kilomètres au sud de la ville s'annoncent les contreforts de la sierra Nevada de Santa Marta. Ultime bastion de la cordillère centrale des Andes, elle s'en détache comme un point sur un i. Tandis que son sommet enneigé culmine à 5 800 m, ses vallées et ses forêts abritent encore des tribus indiennes chassant le jaguar, le puma et une infinie variété d'oiseaux. Au pied de la sierra, d'immenses bananeraies croissent dans un climat tropical humide.

C'est ici que le célèbre écrivain colombien contemporain Gabriel García Márquez, auteur

◄

*Les Kogis sont les descendants des Indiens dont les
mœurs, notamment la coutume de dévorer les cadavres des ennemis tués au combat, scandalisèrent les
conquérants espagnols.*

Phot. S. Held

▲

*Les Kogis mènent une existence difficile dans un pays
rude, mais les prétendus bienfaits de la civilisation ne
semblent exercer aucun attrait sur eux.*

Phot. Moser-Tayler-A. Hutchison Lby

du remarquable *Cent Ans de solitude*, situe la petite ville imaginaire de Macondo, transposition romanesque d'Aracataca où il naquit. En dépit de sa renommée, «Macondo» n'a pas changé. On y travaille, comme toujours, avec ardeur, s'interrompant seulement pour s'enquérir des résultats de la loterie nationale ou pour boire une bière à la *cantina* locale, entre hommes, comme il se doit.

On ne saurait parler de la côte caraïbe sans évoquer la péninsule située à l'extrémité nord-est du pays. Désert de sable et de cactus, la Guajira, peu peuplée, reste le fief d'Indiens volontairement retranchés du monde civilisé. Vivant de pêche et d'un peu d'élevage, les Goajiros ont réussi à préserver leurs coutumes ancestrales. Ils se distinguent par leur artisanat, fabriquant de magnifiques colliers de quartz poli et d'amples tuniques blanches, longues et flottantes. Mais le tourisme a commencé ses ravages... À Caracas comme à Bogotá, les élégantes s'habillent aujourd'hui, par snobisme, à la mode des femmes de la Guajira!

Un bref retour à Santa Marta permet d'attraper le train en partance pour Bogotá. Ceux qui redoutent les longs trajets — près de 24 heures — prendront de préférence l'avion, Santa Marta, Cartagena et Barranquilla possédant toutes trois un aéroport.

Les contrastes d'une capitale

Froide et grise : telle apparaît Bogotá à 2 640 m d'altitude. *Carreras* (avenues) et *calles* (rues) s'y coupent à l'équerre et à l'infini. Une seule artère échappe à ce gigantesque quadrillage, qui n'offre, pour tout repère, que des plaques numérotées : l'avenue Jiménez de Que-

sada — unique hommage au conquistador — défie la monotonie de la capitale en serpentant entre les édifices modernes. Tours de verre, d'acier et de béton s'élancent dans un ciel plombé, à l'ombre de la montagne proche. Jour et nuit, leurs frontons dispensent les clins d'œil de néons multicolores vantant de grandes marques américaines de cigarettes ou de boissons gazeuses.

On se croirait dans n'importe quelle grande ville — et probablement l'une des moins attrayantes — si l'on ne faisait qu'y passer, mais, en s'attardant quelques jours dans cette grisaille, on découvre, au pied des grandes banques internationales, derrière les centres commerciaux, en retrait des Hilton et autres hôtels de luxe, la Bogotá de jadis. Ici, l'église San Francisco, au plafond mauresque, dit «mudéjar». En face, l'église de la Tercer Orden («Tiers Ordre»), aux somptueux autels et confessionnaux de bois sculpté. Tout près encore, Santa Barbara, San Agustín et San Ignacio, qui abrite les œuvres du plus grand peintre de l'époque coloniale colombienne, Gregorio Vasquez de Arce y Caballo (1638-1711). L'église de la Concepción — la plus ancienne — possède un plafond à caissons inspiré du style islamique si prisé à Ségovie et à Tolède, et la Capilla del Sagrario (XVIIᵉ s.) se distingue par ses incrustations de turquoises. La cathédrale, enfin, recèle des trésors de ciselure, de sculpture et de peinture, outre son étonnante architecture, où le style ionique se mêle au dorique et à l'art toscan.

Pourtant, l'originalité artistique de Bogotá tient moins à son apport colonial qu'à son patrimoine précolombien, dont l'essentiel est exposé dans deux musées. Le Musée archéologique, installé dans le très bel hôtel du marquis de San George, possède d'importantes collec-

tions de poteries indiennes et des sculptures monolithiques provenant de la région de San Agustín, mais rien ne surpasse en richesse et en variété le très célèbre Museo del Oro. Plus de 26 000 pièces, provenant des civilisations chibcha, quimbaya, tairona, muisca, calima, nariño, cauca, tumaco, tolima et sinu, y figurent. La plus précieuse est sans doute le *Balsa de Oro* («Radeau d'or»), découvert par des paysans dans la commune de Pasca, en 1969 : il représente *el Dorado* allant se plonger dans le lac de Guatavita. Tout autour, ce ne sont que vases, diadèmes, agrafes, pendants d'oreilles et de nez, pectoraux filigranés. L'or se mêle aux émeraudes, à l'argent, aux pierres semi-précieuses de la péninsule de la Guajira. On découvre avec étonnement que les motifs des pendentifs — oiseaux, grenouilles — sont ceux que reproduisent aujourd'hui les bijoux de l'Amérique centrale, notamment ceux du Panamá et du Costa Rica. On apprend également que les Chibchas ne se contentaient pas de la méthode primitive du martelage pour travailler l'or : ils connaissaient déjà la fonte à cire perdue.

De l'homme d'affaires au vagabond

Capitale d'affaires ? Capitale-musée ? Celle que l'on surnomme l'«Athènes de l'Amérique du Sud» et où se parle le castillan le plus pur est beaucoup plus que cela. Il faut déambuler d'un musée à un marché, d'une église à la Plaza

▲
Masque, casque et bijoux d'or d'un chef indien. (Museo del Oro, Bogotá.)
Phot. M.-L. Maylin

Double page suivante :
Touffue, inquiétante, saturée d'humidité, la forêt amazonienne près de Leticia.
Phot. S. Held

▲
Souvenirs d'une époque révolue, les églises de Bogotá datent, pour la plupart, du temps où la Colombie s'appelait encore «Nouvelle-Grenade».
Phot. Valentin-Explorer

▶
Bien que Bogotá soit une grande ville très moderne, certaines artères, comme la rue San Carlos, ont conservé un aspect colonial.
Phot. M. Bruggmann

la Colombie

la Colombie

9

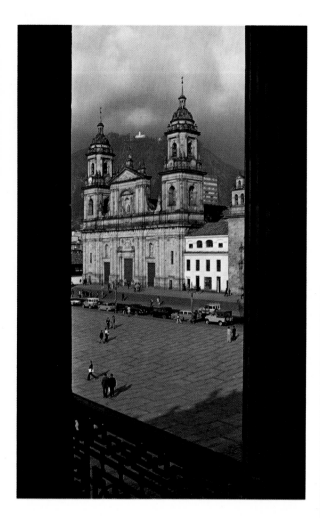

Bolívar. Il faut emprunter le funiculaire et contempler, depuis le Montserrate — but des promenades dominicales —, cette cité tentaculaire, dont les beaux quartiers du nord se fondent, au sud, dans une marée de taudis. Alors la vie bogotane apparaît.

Au petit jour, ce sont les *campesinos* («campagnards») qui débarquent leur chargement des camions. En un rien de temps, les étals se dressent sur la place du marché. D'un côté, les *ruanas* (ponchos courts de la Colombie) et les couvertures de laine bariolées; de l'autre, les cuirs, sacs, bottes et ceintures; plus loin, les céramiques, les bijoux, la vannerie. Les rues se remplissent. Voitures et autobus entament leur concert d'avertisseurs. Tandis que les rideaux de fer des magasins se relèvent, l'homme d'affaires, impeccablement gominé et manucuré, achète le journal, consomme un *tinto* au comptoir d'un café, s'assoit face à un *limpiabotas* («cireur de chaussures»).

Au même moment, dans les recoins des rues, de petits tas de cartons et de vieux journaux se soulèvent. Des frimousses ensommeillées apparaissent, le cheveu en bataille, les joues barbouillées de poussière et de crasse. L'heure du lever a sonné pour les *gamines* de Bogotá. Frissonnant dans leurs chandails troués, l'un court après une savate que mordille un chien, l'autre resserre la ficelle qui maintient un

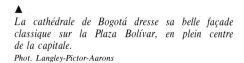

La cathédrale de Bogotá dresse sa belle façade classique sur la Plaza Bolívar, en plein centre de la capitale.
Phot. Langley-Pictor-Aarons

▲
Classée «monument historique» et soigneusement res-
taurée, la paisible bourgade de Villa de Leyva est
devenue un agréable centre de villégiature.
Phot. M. Bruggmann

pantalon trop large. On va tenter de chiper un *empanada* («beignet»), puis retrouver, un à un, les autres membres de la bande.

Les *gamines* ne sont pas des enfants comme les autres. Nés dans la misère, ils essaient d'en rompre le cercle vicieux. Mieux, de la tourner en dérision. Âgés de 5 à 15 ans, ceux que l'on appelle encore *carasucias* («figures sales») ont choisi d'habiter la rue, de fuir le père alcoolique ou la mère prostituée. Ils dorment, serrés les uns contre les autres, à même le macadam. Ils fouillent les poubelles et les décharges municipales. Ils ont fait tous les petits métiers : vendeur de journaux, cireur de chaussures, chanteur d'autobus, clown publicitaire payé à la journée par un magasin. Groupés en *galladas* («petites hordes»), ils sont toujours à l'affût d'un coup à faire, d'une émotion forte. C'est à qui chapardera le plus de rétroviseurs ou d'essuie-glaces (pour les revendre à leurs propriétaires une centaine de mètres plus loin), de sacs à main, de fruits. Le butin partagé, les *gamines* s'adonnent au *colincharse*, l'art de s'accrocher aux pare-chocs des voitures, et se droguent en aspirant à pleins poumons les émanations d'essence. Titis de Bogotá, hippies de l'enfance, ils connaissent la ville jusque dans ses moindres recoins. Les autorités ont bien tenté de résoudre ce problème social. En vain. Les *gamines* restent fiers, indépendants, insaisissables, émou-

vants dans leur désir de renoncer à la vie de paria que mènent leurs parents.

Chaque jour attire en effet à Bogotá un nombre croissant de sans-emploi. Le contingent s'élève parfois à 3000. Ce sont pour la plupart des paysans qui ont perdu leurs terres, ou dont les revenus ne suffisent plus à assurer la subsistance. Ils tentent alors de trouver du travail à la ville. Illusion vite abandonnée. On se retrouve, à tout âge, vendeur de chewing-gum ou de cigarettes pour un salaire dérisoire. Parallèlement, la criminalité augmente. Bogotá passe aujourd'hui pour la capitale de la violence et de la peur, bien que la situation semble s'améliorer depuis un an ou deux. Cinq millions de Colombiens y vivent, soit un cinquième de la population totale du pays.

Là où l'histoire s'est faite

Au nord de la capitale s'étend la province de Boyacá, de tout temps privilégiée. Jadis territoire sacré des Chibchas, elle fut, plus récemment, le théâtre de batailles décisives pendant la guerre de l'indépendance. De son passé colonial, elle a gardé quelques-uns des plus beaux vestiges de la Colombie.

Villa de Leyva est un cas unique. On pourrait croire que, depuis quatre siècles, pas une seule pierre n'a été déplacée dans cette bourgade. Autour de la grand-place pavée, les *manzanas* («pâtés de maisons») carrées alignent leurs bâtiments bas, blanchis à la chaux. La maison où les vice-rois passaient l'été semble figée dans le temps. Seule la cloche de l'église rappelle que ces vieux murs sont habités.

À une heure de distance, Tunja, capitale provinciale, est juchée dans les Andes à près

de 3000 m d'altitude. Considérée comme l'une des villes les plus froides du pays, elle est souvent comparée à Tolède à cause de son architecture typiquement espagnole : fines balustrades, patios, cloîtres aux colonnades sculptées, lourdes portes et frontons frappés d'armoiries seigneuriales. Parmi les plus belles églises, citons seulement Santo Domingo, Santa Bárbara et la chapelle Santa Clara.

À quelques kilomètres de Tunja, au pont de Boyacá, un monument rappelle la victoire écrasante remportée par Bolívar sur les armées royalistes. Victoire tout aussi grande sur la nature : avant de franchir les premiers contreforts de la Cordillère orientale, le *Libertador* avait traversé à la nage d'immenses fleuves et parcouru, sans rencontrer âme qui vive, les étendues sans fin des savanes de l'Est.

Ces immenses prairies, appelées *llanos*, sont aujourd'hui le domaine des *vaqueros*, les cow-boys colombiens. Tels des centaures, ils mènent, des jours durant, les troupeaux de bétail d'une *hacienda* à l'autre, ne s'arrêtant que pour danser le *galeron* ou le *joropo*.

Au sud des *llanos* commence la forêt vierge. Les hautes herbes brûlées par le soleil font place à une végétation dense, exubérante, humide. Enfer impénétrable pour l'homme, l'Amazonie est le domaine des grands fauves, des tapirs, des ocelots. Domaine aussi de milliers de singes, d'oiseaux et de reptiles tels que l'anaconda, serpent capable d'étouffer un bœuf. Seules les rives des grands fleuves sont habitables.

À la pointe sud du pays, en pleine Amazonie, Leticia est devenue un centre touristique. On y pêche le *pirarucu* de 100 kg, on y chasse le pécari et le caïman, on y fait des excursions aux lacs Yaguacata et Tarapoto, où fleurit le nénuphar géant (*Victoria regia*), dont chaque feuille atteint 1,50 m de diamètre et peut supporter un enfant couché. Ailleurs, la forêt, immense réserve sylvicole et hydraulique, n'est habitée que par quelques tribus d'Indiens. Dans ces régions inexplorées, l'arc et le curare ont encore raison des conquistadores du XXᵉ siècle.

Le grand héritage précolombien

Loin au sud de Bogotá, à la jonction de la Cordillère orientale et la Cordillère centrale, où le río Magdalena n'est encore qu'un jeune torrent caracolant, s'étend le fabuleux centre archéologique de San Agustín. À 1700 m d'altitude, sur des monticules verdoyants, s'élèvent des nécropoles, des tumulus et des statues monolithiques précolombiennes mesurant jusqu'à 5 m de hauteur. Si les sépulcres ne laissent pas d'impressionner, ce sont les «idoles» qui caractérisent le plus l'art agustinien. On retrouve les figures grimaçantes, effrayantes, des divinités de l'Amérique centrale. Il y a l'aigle, symbole de lumière et de pouvoir, et le serpent, dieu de la fertilité, des pluies et de la terre. Il y a aussi l'homme-félin aux crocs acérés, incarnant la

▲
Dans la forêt vierge, les cours d'eau aux multiples ramifications sont les seules voies de communication.
Phot. Moser-Tayler-A. Hutchison Lby

▲
Les Indiens qui vivent dans la touffeur des plaines sont beaucoup moins vêtus que ceux qui affrontent les rigueurs du climat andin.
Phot. A. Hutchison Lby

▶
Une végétation inextricable élève une sombre muraille le long des innombrables ríos de la forêt amazonienne.
Phot. Hinous-Top

bridés, portant, comme les femmes, la *ruana* et le chapeau de feutre. Des enfants font signe de s'arrêter et proposent la spécialité locale : un morceau de fromage de chèvre accompagné de pâte de goyave. Les montagnes sont d'un vert sombre, les ravins profonds. En aval du flanc ouest de la cordillère, vers la vallée de Pubenze, apparaissent bambous, palmiers et agaves aux feuilles charnues. Popayán n'est plus loin.

Douce et blanche Popayán

Fondée en 1536 par Benalcázar, Popayán se déploie gracieusement à 1760 m d'altitude, au pied du volcan Purace. Son climat doux et son architecture classique espagnole en font la ville la plus agréable du pays. Fief aristocratique et conservateur, Popayán a toujours été une pépinière d'hommes politiques. Sa vieille université (1640), renommée en Colombie, jouxte l'église San Francisco. Église pleine de trésors, bien entendu, comme celle de San Agustín, comme la chapelle de la Encarnacíon. Il faut aussi longer la Calle de los Proceres, dont les maisons coloniales à double étage offrent le meilleur exemple du style rococo andalou.

Pendant la semaine sainte, la ville est envahie par un défilé ininterrompu d'images pieuses, de statues en bois polychrome grandeur nature, de squelettes. La procession se fraie un passage dans la foule des paysans accourus des campagnes, accompagnés de leur femme portant jupe chatoyante et châle noir traditionnel.

Popayán est une étape vers la longue vallée du Cauca, qui remonte vers le nord. À Cali, dans une région où l'on récolte le riz, le sucre et le coton en abondance, on trouve, dit-on, les

suprême divinité solaire. À cheval ou en Jeep, il faut au moins deux jours pour explorer les trois grands sites d'el Alto de los Idolos, d'el Alto de las Piedras et du Parque Arqueológico.

Une route en lacet quitte ce paysage fantastique, traverse le río Magdalena et remonte les contreforts de la Cordillère centrale. On y croise des paysans au visage cuivré, aux yeux

plus belles filles du pays. Mais quelle est la grande ville colombienne qui ne revendique pas quelque privilège ? Plus au nord, Medellín, rivale de Bogotá et véritable pouls industriel du pays, n'est-elle pas la « capitale de l'orchidée », la « cité de l'éternel printemps », le rendez-vous des grands producteurs de textile et des gros planteurs de café ?

Popayán est également une marche vers Pasto et la frontière équatorienne, au sud.

▲
Les sépultures-hypogées de Tierradentro, creusées au burin dans la roche tendre et décorées de peintures géométriques, sont uniques dans le Nouveau Monde.
Phot. M. Bruggmann

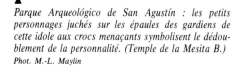

▲
Parque Arqueológico de San Agustín : les petits personnages juchés sur les épaules des gardiens de cette idole aux crocs menaçants symbolisent le dédoublement de la personnalité. (Temple de la Mesita B.)
Phot. M.-L. Maylin

Transports en commun

La route est sinueuse. Les amateurs de pittoresque peuvent tenter le voyage en autocar, avec tous les risques de crevaisons et de pannes qu'assurent régulièrement les *flotas* colombiennes. Ces vieux « pullmans », dont on n'ose imaginer l'âge, refusent d'incliner leurs sièges, et les années et la poussière ont condamné leurs fenêtres à la fermeture définitive. Mais qu'importe ! Le chauffeur et son *ayudante* (« aide ») accueillent, malgré le manque de place, tous ceux qui peuvent contribuer à accroître la recette du trajet.

Les voyageurs transportent qui une bêche, qui trois poules, qui des pieds de cochon fraîchement coupés, et tout cela va rejoindre les bagages entassés pêle-mêle à l'arrière. Les femmes, un enfant au sein, défont et refont sans cesse de petits ballots : la route sera longue, les arrêts sont peu fréquents, et elles vérifient que les en-cas ne manqueront pas. De leur côté, les hommes tâtent, dans leur besace, la canette de bière ou la bouteille de *trago* (alcool blanc). Tout va bien, on peut partir. Le chauffeur fait un signe de croix en direction du tableau de bord, où trône une statuette de la Vierge des Douleurs, généralement flanquée d'une photo pornographique et d'un autocollant

▲
Parque Arqueológico de San Agustín : cette statue aux sourcils froncés porte une coiffure particulièrement élaborée. (Mesita C.)
Phot. Régent-A. Hutchison Lby

représentant Che Guevara. Le moteur vrombit, et l'énormité brinquebalante se met en marche.

Les premières heures s'écoulent sans peine. Le ruban asphalté n'a pas encore entamé les sinusoïdes sans fin du sud de la cordillère. La radio hurle des *cumbias* ou des succès nord-américains, coupés d'annonces publicitaires. Seules les pétarades du moteur parviennent, par moment, à couvrir cette avalanche de décibels. C'est que, maintenant, la machine monte et s'essouffle. Bientôt, elle aborde les virages en épingle à cheveux, qu'elle négocie par de savantes manœuvres, s'écartant juste à temps des bords du précipice au fond duquel gronde une rivière. Et voilà que, en descendant vers Pasto (à six heures de distance), elle se met en grève.

Il faut évacuer — femmes et enfants exceptés — l'antiquité, qui a calé pour Dieu sait quelle raison. Dehors, il fait un froid épouvantable, et le vent soulève des nuages de sable qui s'engouffrent par la portière. Les nouveau-nés pleurent, les vieux, abrutis par l'alcool, se réveillent et se mettent à discourir d'une voix pâteuse, quand ils ne sont pas malades. Après une vigoureuse poussée, on repart vers Pasto, dont on aperçoit en bas, dans la plaine, les premières lumières scintillant dans la nuit.

Dernière grande ville avant la frontière équatorienne, Pasto, centre d'une région où s'intensifient l'agriculture et l'élevage industriel, n'offre guère d'intérêt. Mais que dire du littoral de l'océan Pacifique ? Au sud du port de Buenaventura, sur des centaines de kilomètres, ce ne sont que marécages pestilentiels. Au nord, en dehors de la petite ville de Quibdó, qui traite une partie du platine et de l'or colombiens, qui songerait à vivre sous ce climat pluvieux, étouffant ? Jusqu'à la frontière panaméenne, la jungle est impénétrable, peuplée d'animaux sauvages. Cette jungle hostile qu'avait vainement tenté de vaincre Pizarro, voici plus de quatre cents ans.... ■   Annick BENOIST

Tous les mardis, les Indiens Guambianos, vêtus de leur plus belle ruana *(poncho), prennent le chemin de Silvia, près de Popayán, pour vendre leurs tissages sur le marché.*
Phot. P. Wallet

▲ Vaste église de style espagnol, entourée de longues maisons basses et de champs fertiles : El Cocuy, un village typique de la Cordillère orientale, situé à plus de 4 000 m d'altitude.
Phot. Moser-Tayler-A. Hutchison Lby

▶ Popayán : construite à la lisière de la ville, au sommet d'une colline, la blanche chapelle de Belén se découpe sur un plaisant décor de montagnes verdoyantes.
Phot. M.-L. Maylin

le Pérou

La côte, la cordillère, la forêt dense : le Pérou a trois visages, et le plus avenant n'est pas celui qu'il présente aux visiteurs venus du Pacifique. Sur la Costa, pas de plaines fertiles aux riches cultures tropicales. L'étroite bande que borde l'océan est un désert. Sur 2220 km de long, le troisième pays de l'Amérique du Sud par la superficie annonce d'emblée ses couleurs : rocailles grises, buissons argentés, dunes ocres. La route panaméricaine longe un paysage lunaire, ourlé d'une mer hostile qui semble n'avoir de pacifique que le nom.

Quelques osasis ponctuent ces plaines arides, jadis irriguées par les Incas. Alors la culture de la canne à sucre, du riz et du coton se fait intensive, comme aux abords de Piura, de Chiclayo et de Trujillo, quatrième ville du pays, qui a conservé de beaux restes de son passé colonial. De là, une route part vers l'est,

escalade les contreforts des Andes et débouche sur le plateau de Cajamarca, à 2730 m d'altitude. C'est dans ce cadre enchanteur que l'arrestation d'Atahualpa, dernier souverain du Pérou, provoqua l'effondrement du puissant Empire inca. On visite encore la chambre qui servit de prison à l'empereur déchu et les sources thermales sulfureuses où il aimait à se baigner.

Mais ce fut tout au nord de la côte, près de l'actuelle frontière avec l'Équateur, que débarquèrent, en cette première moitié du XVIᵉ siècle, une poignée d'aventuriers espagnols. Leur but ? « Servir Dieu et Sa Majesté, éclairer ceux qui vivent dans les ténèbres et devenir riches », comme l'écrivait Bernal Diaz del Castillo, conquistador et chroniqueur, qui finit *regidor* perpétuel du Guatemala et laissa une *Histoire véridique de la conquête de la Nouvelle-Espagne*.

▲
Bête de somme, fournisseur de lait, de viande, de laine et de cuir, le lama est inséparable de la vie des Andes. (Urcos, près de Cuzco.)
Phot. Vuillomenet-Rapho

L'empire du Soleil

En 1527, lorsque la vigie de la petite flottille espagnole venue du Panamá annonce « Tumbes ! », un sourire éclaire le visage de Francisco Pizarro, ancien porcher d'Estrémadure devenu conquistador. Le voici donc, ce fameux port dont parlaient les marchands croisés au large ! Avec prudence, les Espagnols mettent pied à terre. Ils découvrent des hommes aux yeux légèrement bridés, au profil d'aigle, aux somptueux vêtements bariolés. Discrètement, ils se renseignent. Oui, il existe bien un empire fabuleux, qui s'étend, au nord comme au sud, par-delà les montagnes. Le temps d'échanger des cadeaux, la flottille reprend la mer.

Quatre ans plus tard, en 1531, trois lourdes caravelles accostent au nord de l'actuelle

Guayaquil (Équateur). Cette fois, Pizarro est escorté de quelque 180 compagnons. Des aventuriers comme lui, des hommes de fer que rien n'arrête dans leur course au trésor. L'expédition se dirige vers le sud. La soif et la chaleur se font cruellement sentir. Bientôt, c'est le froid. Il faut longer des précipices, franchir des cols entre deux sommets glacés, lutter contre le *soroche,* le mal des montagnes. La cordillère est déserte, immense, les canons sont lourds à traîner, les chevaux, rétifs. Après deux mois d'efforts épuisants, la petite troupe arrive en vue du plateau de Cajamarca. L'empereur inca, Atahualpa, prévenu de l'arrivée de ces « monstres barbus », les y attend. Derrière lui, une armée de 20 000 hommes...

La civilisation inca est alors à son apogée. L'empire « des Quatre Points cardinaux » *(Tahuantinsuyo)* s'étend sur des milliers de kilomètres, couvrant la forêt, la montagne et la côte. C'est un empire jeune, contrairement à l'idée que l'on s'en fait souvent. Les premiers Incas apparaissent au XIIᵉ siècle, venant de la région du lac Titicaca. Ils entreprennent de soumettre, puis d'unifier les grandes dynasties indiennes. D'abord les Aymaras, puis les Quechuas. Au XVᵉ siècle, ils absorbent les Chimús et viennent à bout des Caras du royaume de Quito, ancêtres des Indiens de l'Équateur. Partout ils imposent une langue, en plus des dialectes existants : le quechua.

S'ils ne connaissent ni la roue ni, semble-t-il, l'écriture, les Incas se révèlent remarquables bâtisseurs et administrateurs. Ils édifient des temples colossaux, des forteresses imprenables. Ils irriguent le désert de la côte, construisent des greniers à provisions dans tout le pays, créent un réseau routier dont peu de peuples possèdent l'équivalent à cette époque. Une voie pavée relie Cuzco, la capitale, à la ville de Quito, distante de 1 600 km. Comme ni la roue ni le cheval n'existent, ce sont des coureurs, entraînés à la haute altitude, qui transmettent les messages d'un bout à l'autre de l'empire. Dix jours suffisent. À toute vitesse, le *chasqui* dévale les flancs des montagnes, franchit les précipices sur des ponts en fibre d'agave. Après deux ou trois kilomètres de course effrénée, il arrive à un relais et crie le message à un autre coureur, qui bondit à son tour, et ainsi de suite. Parfois, le *chasqui* transporte un *quipu,* assemblage de cordelettes dont chaque nœud a une signification particulière. Ce système, très complexe, qui semble faire office d'écriture, permet de tenir à jour les comptes, les statistiques et les annales de l'empire, car rien n'est laissé au hasard dans cette société parfaitement structurée.

Chaque groupe de dix familles dépend d'un chef, responsable de la bonne marche de la communauté et de la répartition des tâches. Les hommes sont obligés de se marier à vingt-cinq ans, les femmes à dix-huit. Les premiers paient un impôt sous forme de corvées et de service dans l'armée. Les femmes s'occupent des animaux et du tissage de la laine. Tous possèdent une parcelle de terrain, mais doivent d'abord cultiver les terres du souverain, puis celles des citoyens malades ou absents. En contrepartie, l'État redistribue les fruits de l'agriculture et de l'élevage en fonction des besoins de chacun. Il prend en charge les malades, les infirmes et les vieillards, instituant une « sécurité sociale » avant la lettre.

Il existe également des chefs pour chaque groupe de 100, 500, 1 000, 10 000 et 20 000 familles. À leur tête, quatre hauts dignitaires, les *cápac,* gouverneurs des provinces Nord, Est, Sud et Ouest. Enfin, coiffant ce conseil des sages, règne le Sapa Inca au pouvoir absolu. Adoré par ses sujets, qui lui sont dévoués jusqu'à la mort, il est considéré comme le fils et le représentant sur la terre du dieu Soleil, Viracocha, également père de la Lune, de l'Éclair et du Tonnerre.

Cette remarquable pyramide s'effondre le 16 novembre 1532. L'Inca Atahualpa arrive en grande pompe sur la grand-place de Cajamarca, au rendez-vous fixé avec Pizarro. Il ignore que, tapis dans l'ombre, les arquebusiers et les lanciers espagnols n'attendent qu'un signe. Brusquement, c'est l'assaut. Les chevaux sont lancés, le canon tonne. Les Indiens, venus en amis, sont pris de panique. Seul, Atahualpa reste impassible. Traîné par les cheveux, il est enfermé dans une chambre de 7 m de long sur 5 m de large : en échange de sa liberté, il devra la remplir d'or et de bijoux jusqu'à la hauteur de la main levée. Neuf mois plus tard, la rançon est amassée. Pourtant, l'Inca, contraint de se convertir au catholicisme, est exécuté à la garrotte, sous le nom de Jean de Atahualpa.

▶

En provoquant la cupidité des conquistadores, l'or, avec lequel est façonné ce couteau rituel (tumi) *incrusté de turquoises, fit le malheur des Incas. (Musée national d'Anthropologie et d'Archéologie, Lima.)*
Phot. M. Bruggmann

Frappé à la tête, l'empire s'écroule comme un château de cartes. Dix millions d'Indiens, soumis à une autorité incontestée, se retrouvent sans maître. Habitués seulement à obéir, ils deviennent les serfs des Espagnols. Quelques révoltes éclateront, sporadiques. Elles seront cruellement réprimées.

Le butin partagé, les Espagnols s'installent. Palais, églises et couvents s'édifient sur les cendres de l'empire disparu. Fondée en 1535 par Francisco Pizarro, Lima devient la capitale de la vice-royauté. Les siècles passent, et l'Espagne, qui dicte toujours ses lois, impose un lourd tribut et continue d'interdire les échanges avec tout autre pays qu'elle-même. Cette tutelle devient pesante pour les nouveaux maîtres du continent. Nombre d'entre eux se sont métissés, et leur mère patrie est moins l'Espagne que l'Amérique du Sud. Le vent de fronde, levé au XVIIᵉ et au XVIIIᵉ siècle, souffle avec violence au début des années 1800. Un jeune Vénézuélien, né d'une famille aisée, brandit alors l'étendard de la révolte. Il se nomme Simón Bolívar. Soutenu au départ par une armée de fortune, il n'a cessé de combattre les « royalistes ». Son immense croisade débute au Venezuela, se poursuit en Colombie, en Équateur, au Pérou et, pour finir, en Bolivie. Très vite, des républicains vont grossir les rangs du *Libertador.* D'autres chefs l'aident dans sa tâche : José de San Martín, venant du Chili, proclame l'indépendance du Pérou à Lima le 28 juillet 1821, et en 1824, le général Sucre remporte la victoire décisive sur les Espagnols à Ayacucho. Bolívar, s'il n'a pas réussi à confédérer les États libérés, est néanmoins parvenu à son but principal : l'indépendance.

La capitale des vice-rois

Comme toutes les capitales, Lima, la plus grande ville de la côte pacifique, a ses quartiers d'affaires aux immeubles froids et impersonnels, et les résidences luxueuses de Miraflores sont cernées par une marée de bidonvilles, les *barriadas.* Mais le cœur de la cité si chère à

Francisco Pizarro n'a pas changé. Voici la Plaza de Armas et la cathédrale, où la momie (contestée) du conquistador repose dans un sarcophage de verre. Des constructions plus récentes, comme le palais du Gouverneur et la mairie, ne déparent pas ce carré d'arcades, de balcons coloniaux et de fenêtres aux vantaux de bois.

Tout près, quatre églises chantent la gloire de l'architecture espagnole et baroque : la Merced, sanctuaire d'une Vierge miraculeuse qui sauva la ville des pirates ; Santo Domingo, qui abrite les cendres de sainte Rosa, la première canonisée du Nouveau Monde ; San Francisco, ses catacombes et sa bibliothèque de 20 000 volumes ; San Pedro, enfin, aux merveilleux autels dorés, et dont la cloche, nommée *Abuelita* (« Petite Grand-Mère »), fut la première à saluer la déclaration d'indépendance, en 1821.

Dans le centre également, deux édifices retiennent l'attention : le Torre Tagle, palais sévillan remarquablement bien conservé, et la Casa de la Inquisición, où les instruments de torture sont exposés *in situ* dans des sous-sols sinistres. Mais il faut surtout visiter le musée de l'Or, dans le faubourg de Monterrico, et le musée national d'Anthropologie et d'Archéologie. Témoins des civilisations précolombiennes, ils présentent des bijoux, des poteries et des tissages d'un raffinement exquis.

À Lima, il est important de savoir flâner. Cela permet de découvrir l'artisanat andin au marché de l'Avenida de la Marina et d'aller savourer un *ceviche* (marinade de poissons ou de crevettes) dans l'un des petits restaurants qui jalonnent le front de mer. Si la brume qui couvre la capitale semble ne jamais devoir se lever, la température, en revanche, est douce et agréable : Lima est une exception dans le désert qui se poursuit au sud de Callao, le grand port qui la jouxte et constitue la deuxième agglomération du pays.

Là transitent 75 p. 100 des importations et 25 p. 100 des exportations du Pérou. Toute inhospitalière qu'elle est, la côte fait vivre 40 p. 100 de la population. On y trouve des industries de transformation, mais surtout de nombreuses pêcheries et des usines d'engrais alimentées par le guano, fiente des oiseaux vivant dans les îles du large. Enfin, c'est par le littoral que passent les cultures des oasis, ainsi que les minerais de fer, de zinc et de plomb extraits de la montagne.

La montagne ? Elle est bien proche. Pour s'y rendre, il suffit de se présenter un matin, à 7 heures, à la gare des Desamparados, à Lima. Non qu'il n'y ait d'autres voies de communication avec la Sierra, mais ce chemin de fer a

◄
Chaque année, les Indiens célèbrent le solstice d'été en reconstituant près de Cuzco la grande fête inca de l'Inti Raimi : deux par deux, les vierges du Soleil s'avancent en tête du cortège, portant des offrandes symboliques.
Phot. E. Guillou

▲
Point culminant de la Cordillera Blanca, le mont Huascarán est, avec ses 6 768 m, le plus haut sommet des Andes péruviennes.
Phot. C. Lénars

gagné, à juste titre, la réputation d'être l'une des merveilles de l'Amérique du Sud. Construite à la fin du XIXe siècle, la voie ferrée parcourt 420 km depuis Callao jusqu'à Huancayo, dans les Andes. En quelques instants, le paysage change comme par enchantement. À l'approche des 800 m d'altitude, les vallées verdoient, les vergers regorgent de fleurs et de fruits. Aux arrêts, les quais sont encombrés de jeunes vendeurs de boissons gazeuses. Des femmes impassibles sont assises par terre, leurs jupes largement étalées. Coiffées d'une sorte de panama noir et blanc, drapées dans un châle aux couleurs vives, elles alignent devant elles de petites pyramides de mangues, d'avocats ou de citrons.

Les voitures de bois ne sont pas encore pleines, et les étrangers, désireux d'admirer le paysage, s'assoient dans le sens de la marche. Mal leur en prend, car bientôt le train ralentit, s'arrête et repart en sens inverse. C'est le premier des 22 rebroussements à effectuer pour passer d'un flanc de montagne à un autre. Accumulant les records, le train franchit par ailleurs 59 ponts, traverse 66 tunnels et fait halte à 4 781 m d'altitude, la gare la plus haute du monde pour un train à voie normale.

À La Oroya, un flot de passagers envahit les compartiments. Ce sont les travailleurs des mines de Cerro de Pasco, accompagnés de leur femme, de leurs enfants, de quelques volailles et de dizaines de balluchons que l'on défait et refait sans cesse. Il est vrai que le voyage est encore long jusqu'à Huancayo. Les bambins aux joues écarlates sucent une mangue. Les vieilles femmes, la peau cuivrée et parcheminée, mâchent des feuilles de coca au jus noirâtre. On est en plein monde indien sur l'Altiplano andin où vivent les descendants des Incas, retranchés du monde bruyant de la côte. Perchée à 3 260 m, Huancayo, le terminus, est un des greniers à blé du Pérou (40 p. 100 de la production totale). Sur les marchés apparaissent les premiers tissages de laine.

Huit à dix heures de car sur une route escarpée et propice aux crevaisons séparent Huancayo d'Ayacucho. Le décor est grandiose. Sur la Puna, lande d'herbe *ichu* et de graminées, paissent des lamas. Au-dessus de 4 000 m,

◄
Lima : comme la plupart des édifices qui entourent la Plaza de Armas, le palais de l'Archevêché est doté de balcons en bois sculpté et ajouré, qui évoquent l'Andalousie.
Phot. S. Held

▲
Flots de rubans et pompons bariolés en laine de lama :
fête villageoise dans une haute vallée des Andes.
Phot. Silvester-Rapho

est charmé. Il devient admiratif à l'entrée de la cathédrale, des églises San Francisco de Asis, de la Compañía, Santa Clara... On ne saurait les citer toutes : il y en a trente-trois !

Peu étendue, Ayacucho ajoute à la beauté de ses bâtiments l'animation de ses ruelles. D'une échoppe à l'autre, on propose bijoux en argent filigrané ou minuscules autels de la Vierge. Des femmes en chapeau haut de forme blanc servent de la *chicha morada*, une boisson pourpre, à base de maïs fermenté. Pour ceux qui préfèrent le *pisco*, un alcool blanc, distillé sur la côte pacifique, mieux vaut s'asseoir dans une *cantina*, bavarder et jouer aux dés... entre hommes, comme il se doit.

Une route mène à Cuzco. Piètre route, en vérité ! Il ne faut pas moins de vingt-sept heures de car pour atteindre l'ancienne capitale inca. L'avion remplace avantageusement cette odyssée exténuante, sinon risquée. Du ciel, le spectacle est fascinant. Les crêtes blanches jaillissent, semblant vouloir se dépasser les unes les autres, enserrant des gorges désordonnées où se précipitent des torrents. Chevauchée fantastique, débouchant brusquement sur la riante vallée de Cuzco.

Cuzco, « nombril du monde »

Les Incas comparaient Cuzco à un puma mollement allongé, dont la tête — la forteresse de Sacsahuamán — dominait la vallée, comme aux aguets. Symbole de puissance et d'autorité, l'animal sacré représentait le centre du monde (*cuzco* signifie « nombril » en quechua). La capitale fut dotée de palais gigantesques, d'un collège, de places destinées aux cérémonies et d'un chef-d'œuvre architectural : le Coricancha, le temple du Soleil.

Les ruelles étaient étroites et sombres, les murs immenses, en pierres noires. Ces blocs polygonaux ont survécu à tous les tremblements de terre, et même au vandalisme des conquistadores. Ils étaient taillés et ajustés avec une telle précision qu'il est toujours impossible de glisser une épingle entre eux. La célèbre pierre à douze angles de la Calle Triunfo illustre à merveille ces assemblages parfaits, que l'on retrouve au-dessus de la ville, dans la forteresse de Sacsahuamán. Trois murs parallèles de 600 m de long y entourent ce qui fut sans doute

▲
Après avoir rasé Cuzco, capitale de l'Empire inca, les conquérants espagnols élevèrent des églises baroques sur les fondations cyclopéennes des anciens temples.
Phot. M.-L. Maylin

toute végétation disparaît : c'est le désert de la Puna Brava. Des lacs bleutés, tels des miroirs suspendus, reflètent l'image d'un nuage ou d'une cime glacée. Le froid est vif. Le mal des montagnes guette les voyageurs. Seuls les majestueux condors semblent hanter ces espaces immenses et chaotiques. Enroulé dans son poncho, on admire le canyon du río Santo Tomas, que le car longe avant de descendre vers Ayacucho, atteinte tard dans la nuit.

À 2 400 m d'altitude, la ville qui, en 1824, vit le triomphe du général Sucre sur les armées royalistes a gardé son cachet colonial. Balcons de bois, maisons basses à toit de tuiles : l'œil

une ville de garnison et un rempart contre les invasions. On se demande encore comment les Incas, qui ignoraient la poulie, ont pu transporter et entasser des blocs cyclopéens dont le plus gros pèse 350 t. 30 000 ouvriers auraient participé à la construction de la citadelle, qui demanda quelque soixante-dix ans.

À Cuzco même, tous les édifices furent pillés et ravagés par l'envahisseur espagnol. À leur place s'élèvent maintenant des dizaines

◄
Au mois de juin, les concours folkloriques qui accompagnent la fête du Soleil font réapparaître, dans les rues de Cuzco, la joyeuse bigarrure des costumes traditionnels.
Phot. E. Guillou

d'églises et de couvents de toute beauté, où foisonne l'art baroque. Feuilles, fleurs, volutes, colonnes et sculptures en or rivalisent de splendeur avec les autels d'argent massif, les tableaux inestimables et les plafonds de bois précieux. Au produit des rapines, on imagine aisément le degré d'opulence auquel étaient parvenus les Incas, confirmé par les indestructibles fondations de leurs monuments, toujours visibles sous les bâtiments nouveaux.

Les descendants des maîtres d'alors offrent aujourd'hui aux touristes le spectacle affligeant de leur misère. Beaucoup d'entre eux se pressent sur la place du marché, les uns reconstituant sans fin de petits tas de légumes ou de fruits qui s'écroulent à chaque achat, les autres proposant des *ponchos* en lama ou en alpaga, des petits bonnets bariolés dont la forme n'a pas varié depuis quatre cents ans. Car tout est immuable pour l'Indien. Comme toujours, il

cultive l'orge, le maïs et la *papa*, la pomme de terre, que les Espagnols introduisirent en Europe. Les hommes soufflent dans leurs flûtes sans embouchure, *pincullo* (flûte traversière), *quena* (flûte droite) et *antara* (flûte de Pan). Les femmes filent la laine en gardant les animaux. Beaucoup ignorent la monnaie et vivent de troc. Au total, les Indiens se répartissent en 5 000 communautés, forment 40 p. 100 de la population péruvienne (70 p. 100 avec les

▲
Cuzco étant située au fond d'une cuvette, les ruelles qui convergent vers la Plaza de Armas, cœur de la ville, sont souvent très escarpées.
Phot. Abbas-Gamma

7

métis) et sont les seuls à pouvoir travailler à des altitudes approchant 5 200 m.

Au nord de Cuzco se dressent les forteresses que l'Inca Pachacutec — le Réformateur — fit construire au XVe siècle pour défendre l'empire contre les invasions des barbares de l'Est. La première, au-dessus de Písac, force l'admiration par l'ampleur de ses proportions, ses vastes terrasses destinées aux cultures, sa tour ronde et son *intihuatana,* sorte de gnomon qui servait à déterminer le moment du passage du soleil à l'équinoxe, base du calcul de l'année solaire et des périodes lunaires. Plus loin, Ollantaytambo, ancien paradis naturel, entouré de piscines et de jardins, a gardé tout le romantisme des amours légendaires qui la hantèrent ; le sanctuaire pose un problème insoluble aux archéologues avec ses 6 « miroirs du Soleil », énormes dalles verticales en porphyre rose, pesant une cinquantaine de tonnes chacune, qu'il fallut amener d'une carrière située de l'autre côté d'une rivière et hisser au sommet du piton abrupt qui porte la forteresse.

Mais le plus remarquable de ces bastions est encore Machupicchu. Il fut découvert en 1911, à 112 km au nord de l'ancienne capitale inca. Du fond de la vallée étroitement encaissée du río Urubamba, on ne distingue qu'une végétation abondante. Pourtant, à 500 m au-dessus de la rivière, s'accrochent des escaliers, des temples, des maisons, des palais, des tours, des fontaines, toute une ville pratiquement intacte, à laquelle il ne manque que ses toits. On y voit encore les nombreuses *andenes* (terrasses) qui servaient aux cultures. Cette mystérieuse cité, qui semble avoir été un lieu saint et que les Espagnols ne réussirent jamais à découvrir, est dominée par le Huayna Picchu, un piton imposant, aux parois presque verticales, qui la rend invisible de la vallée.

◄
Les portes trapézoïdales sont typiques de l'architecture militaire inca. (Ruines de la forteresse de Vinay Huayna, près de Machupicchu.)
Phot. Silvester-Rapho

▲ À Pisac, une citadelle en pierre de taille, groupant
bâtiments religieux et ouvrages défensifs, dominait un
village construit d'une façon beaucoup plus sommaire.
Phot. Boireau-Rapho

▶ Les Espagnols ne réussirent jamais à localiser la cité
secrète de Machupicchu : c'est seulement en 1911
qu'un archéologue américain découvrit, enfouis sous
la végétation, les vestiges d'une importante ville sainte.
Phot. C. Kuhn

Là commence la Montaña, immense forêt tropicale qui descend du versant oriental des Andes et se perd, au nord et à l'est, dans l'infini de la sylve amazonienne. Elle couvre, à elle seule, 65 p. 100 de la superficie du Pérou, mais n'abrite pas 10 p. 100 de sa population. Ses rares habitants vivent essentiellement en bordure des rivières, tant la jungle est impénétrable. Enfer vert, peuplé de serpents, d'insectes, d'oiseaux aux plumages multicolores, la Montaña est une source de richesses inépuisables. Elle constitue, avec 56 essences différentes, une énorme réserve d'arbres, allant du caoutchoutier au bois de fer en passant par le balsa. Les troncs coupés sont acheminés, par les dizaines de rivières qui sillonnent la forêt, jusqu'au port d'Iquitos, en amont de l'Amazone. C'est également là que convergent les barils du pétrole dont le Pérou est à la fois producteur et exportateur.

Au sud de Cuzco, l'Altiplano sinue, entre les crêtes enneigées des Andes, jusqu'au lac Titicaca, le plus haut lac navigable du monde. À 3 812 m d'altitude, il couvre 6 900 km², et sa profondeur atteint par endroits 280 m. Chaque jour, des dizaines d'embarcations touristiques quittent le port de Puno, capitale du département, en direction des « îles flottantes », entièrement faites de roseaux. C'est le refuge des Indiens Urus, qui, depuis des siècles, se nourrissent des poissons et des herbes du lac.

Arequipa, la ville blanche

Pics désolés, landes où paissent lamas, vigognes et alpagas, canyons : la Sierra au visage altier est un paysage sévère. Vers l'ouest, pourtant, elle s'égaye de vallées vertes et de champs quadrillés. Et, soudain, voici le Misti, le volcan au cône parfait, le Chachani (6 069 m) et le Picchu-Picchu, les trois gardiens d'Arequipa. Arequipa la blanche, la coloniale, l'inoubliable.

◀
La flûte de Pan, que les Péruviens, comme les anciens Grecs, appellent « syrinx », est l'un des instruments les plus usuels de la musique andine.
Phot. Silvester-Rapho

Les roseaux (totora) du lac Titicaca sont le seul
matériau des Urus : ils servent à édifier leurs îles
flottantes, à bâtir leurs maisons et à confectionner
leurs embarcations (balsa).
Phot. Meyer-Colorific

Le soleil y brille toute l'année. L'air y est frais. Tout est prétexte à s'attarder dans cette ville si proche de la côte, mais haussée à 2 320 m d'altitude : d'abord la charmante église de la Compagnie de Jésus, et puis la cathédrale et la place d'Armes, mais, surtout, le couvent de Santa Catalina, éblouissante cité miniature aux murs ocres, aux maisons bleues, aux patios fleuris de géraniums. Raffinement du mobilier, des peintures, des cloîtres paisibles où l'on diffuse en sourdine de la musique classique. Comment rêver cadre plus enchanteur pour les religieuses qui vécurent dans cette enceinte ?

Le havre de fraîcheur s'évanouit comme un mirage. La route panaméricaine, en quelques kilomètres, replonge dans le désert côtier. Dunes de sable, paysage aride que rompt parfois une oasis de vigne ou d'oliviers : le décor, en remontant vers le nord, ne change guère jusqu'à Callao et Lima.

Il y a pourtant Nazca, ses ruines préincas et son étrange vallée. Des lignes interminables, creusées dans le sol caillouteux, se recoupent pour former des figures géométriques et dessiner ici un singe gigantesque, là un oiseau aux ailes immenses. Pour expliquer ces tracés, qui n'apparaissent que vus d'avion et semblent remonter au IXᵉ siècle de notre ère, toutes les hypothèses, même les plus saugrenues, ont été émises. Aucune n'est satisfaisante. En roulant vers Lima, après avoir admiré l'église du Parque Luren à Ica, on se demande qui dévoilera jamais les innombrables mystères des civilisations précolombiennes ■   Annick BENOIST

▲
Bien avant l'arrivée des Incas, les Nascas ont creusé dans le sol caillouteux de la Pampa Colorada des figures gigantesques : comme elles ne sont clairement visibles que du ciel, on a pensé que les Indiens avaient peut-être découvert la montgolfière.
Phot. F. Gohier

▲
Ciselée dans la lave crayeuse (sillar) qui vaut à Arequipa le surnom de « Ville blanche », la façade de l'église San Agustín est un beau témoignage de l'époque coloniale.
Phot. Vautier-Decool

▶
Arequipa : véritable village à l'intérieur de la ville, le couvent de Santa Catalina comporte de nombreuses ruelles et quelques pittoresques placettes, comme la Plaza de Zocodover, agrémentée d'une jolie fontaine.
Phot. M.-L. Maylin

l'Équateur

Chaleur, humidité, lourdeur irrespirable : l'idée que l'on se fait des régions équatoriales est immuable. À cette image entretenue par bien des manuels de géographie, l'Équateur oppose un démenti spectaculaire. Non que le plus petit État de l'Amérique du Sud (après l'Uruguay) n'ait pas son lot de moiteur et de végétation exotique, mais il offre trois visages bien différents : à l'ouest, la côte fertile du Pacifique ; à l'est, la forêt dense ; au centre, la cordillère des Andes.

À 23 km au nord de la capitale, à l'endroit même où passe la ligne équinoxiale, signalé par un simple monument de pierre, on n'éprouve pas la moindre sensation d'étouffement : c'est un plateau balayé par le vent, parsemé de petits lacs et de cactus, où l'air sec, presque froid, semble descendre des 5 796 m du majestueux volcan Cayambe. Il faut dire que la limite idéale

entre les deux hémisphères, déterminée (avec une petite erreur) en 1736 par le Français Charles de La Condamine, est située à 2 374 m au-dessus du niveau de la mer. Une altitude qui n'a rien d'exceptionnel pour le pays. Nous sommes au creux de la double cordillère qui court du nord au sud, véritable artère géographique et humaine : plus de la moitié de la population équatorienne et la quasi-totalité des 40 p. 100 d'Indiens qui la composent vivent dans la Sierra.

En arrivant du nord par la route panaméricaine, on se familiarise vite avec les hautes terres andines. À trois heures de voiture de la frontière colombienne s'égrène un chapelet de lacs gris-bleu, dominés par les premiers des 51 volcans équatoriens. Le cœur de la région est la petite ville coloniale d'Ibarra. Renommée pour son artisanat du bois sculpté et son

orfèvrerie, elle l'est également par la proximité du Yaguarcocha, le «lac de Sang» : la légende veut que ses eaux aient viré au rouge après que les Incas y eurent jeté, au XVe siècle, les corps de leurs ennemis, les Indiens Caras (ou Shyris).

Seigneurs parmi les Indiens

Plus au sud, le volcan Imbambura se dresse à l'approche d'Otavalo. Chaque samedi, l'agglomération de petites maisons blanches sort de son engourdissement. Dès l'aube, des Indiens au port altier, au visage impénétrable, descendent des collines avoisinantes. Les hommes, en chemise et pantalon d'un blanc immaculé, portent un épais *poncho* de laine bleu nuit. Une longue tresse de cheveux d'un noir de jais

▲

Quito : c'est au monastère de San Agustín, sous le plafond enrichi d'ors et de peintures de la salle capitulaire, que fut signé l'acte d'indépendance de l'Équateur.
Phot. E. Guillou

dépasse de leur chapeau de feutre. Les femmes sont vêtues d'une chasuble qui laisse apparaître un somptueux corsage de dentelle, rehaussé de dizaines de colliers dorés. Accompagnés de leurs *guaguas* («enfants», en langue quechua) et de quelques mules, les Otavaleños viennent au marché vendre leurs tissages, faisant preuve de remarquables dons pour cet artisanat... et pour le négoce. Leurs recettes leur permettent d'acquérir des fermes et des propriétés dans un continent où la terre est plus souvent louée — ou prêtée — à l'Indien. Leur réputation a d'ailleurs franchi les frontières du pays qu'ils sillonnent sans cesse, car ce sont d'infatigables voyageurs. À peine les a-t-on quittés qu'on les retrouve plus au sud, à Quito.

Quito (2 850 m), la plus coloniale des capitales latino-américaines et la plus haute après La Paz (Bolivie), la ville de l'éternel printemps, la «Florence des Andes»! De quels superlatifs n'a-t-on pas gratifié la cité qui se déploie gracieusement sur les pentes du volcan Pichincha, jusqu'au bassin fertile situé en contrebas? Mais comment ne pas être confondu d'admiration par la beauté du site, le charme des ruelles pavées, étroites, pleines d'angles et de tour-

nants. Point de ces avenues ordonnées, tracées à l'équerre, qu'on retrouve — avec quel ennui! — dans tant de villes du Nouveau Monde. Quito, rasée et rebâtie de fond en comble par les Espagnols, étage ses maisons basses, ses toits de tuiles et ses balcons de bois au hasard des escarpements et des ondulations du terrain.

Chaque coin de rue offre un sujet d'étonnement. Ici, c'est un marché couvert, où un autel dressé à la Vierge des Douleurs s'élève au-dessus de l'étal des volailles; là, une petite place ombragée, où les vendeurs de journaux à la criée et les cireurs de chaussures se disputent l'attention des passants; plus loin, l'un des 57 monastères et églises qui ont valu à Quito sa réputation de trésor colonial et baroque. Que l'on en juge! L'église de la Compagnie de Jésus, la plus ornée, possède dix autels latéraux recouverts de feuilles d'or et d'argent, entourant un maître-autel tout en or. L'église San Francisco, la plus grande, abrite de magnifiques statues en bois polychrome, sculptées par l'Indien Manuel Chili («Caspicara» en quechua) au XVIIe siècle; le couvent adjacent est la première fondation religieuse de toute l'Amérique du

Sud. L'église de la Merced s'enorgueillit de la plus vieille horloge de la ville, une jumelle de Big Ben, construite à Londres en 1817. On pourrait s'étendre à loisir sur le couvent de Santo Domingo, sur celui de San Agustín, sur l'église d'El Carmen Moderno. Mieux vaut rappeler que Quito, depuis sa conquête par Benalcázar en 1533, n'a cessé d'être un centre culturel. Dès le XVIe siècle y furent édifiées l'université San Fulgencio, l'École des beaux-arts et surtout la célèbre école d'art religieux Escuela Quiteña. Parmi sa pléiade d'artistes — sculpteurs, musiciens, architectes, etc. — figure le grand peintre métis Miguel de Santiago. On peut admirer ses œuvres à l'église San Francisco et au sixième étage de l'édifice moderne de la Banque centrale. Au cinquième étage du même immeuble sont exposées d'extraordinaires céramiques précolombiennes, notamment des vases-sifflets : quand on verse le liquide qu'ils contiennent, ils émettent le cri de l'animal qu'ils représentent.

Quito est toujours un foyer artistique et intellectuel. C'est aussi le centre politique et administratif du pays. Capitale moderne, elle est située au carrefour des routes qui rayonnent

▲
Tous les samedis, le marché de Riobamba attire les Indiens qui vivent chichement sur les pentes du plus haut sommet de l'Équateur, le majestueux volcan Chimborazo.
Phot. Salgado-Gamma

l'Équateur

2

Quito : deux étages de galeries à arcades entourent le cloître fleuri du couvent de San Francisco, qui fut le premier établissement religieux fondé en Amérique du Sud (1535).
Phot. E. Guillou

vers l'Oriente, à l'est, la Costa, à l'ouest, et la Sierra, au sud.

L'avenue des volcans

La route panaméricaine déroule son ruban asphalté du nord au sud de la vallée centrale. Elle court, à une altitude proche de 3 000 m, entre les deux cordillères andines, distantes de 40 à 60 km. Le géographe allemand Humboldt, empruntant cette voie connue des Incas, la baptisa « avenue des volcans ». À l'est, voici le Cotopaxi (5 896 m). À l'ouest, à la même latitude, l'Iliniza (5 305 m). Les sommets se succèdent. Après la ville de Latacunga — réputée pour ses petites croustades, les *allullas* —, des lacs minuscules reflètent les cimes aux neiges éternelles.

Sous le blanc des crêtes s'évasent les *faldas* (« flancs »), prélude à une immense lande moussue où paissent vaches et moutons : le Paramó. Plus bas, les pentes des volcans se découpent en une multitude de petits quadrilatères, véritable patchwork de champs cultivés. C'est là que poussent l'oignon et la *papa* (pomme de terre), le maïs et le blé. L'altitude est pourtant proche de 3 000 m, mais les coulées de lave et les cendres volcaniques ont fertilisé les hautes terres des Andes. Certains bassins d'effondrement, tel celui d'Ambato, la cité-jardin de l'Équateur, regorgent de fruits et de fleurs.

Aux abords de la route, des Indiennes aux jupes amples, coiffées de chapeaux de feutre, se courbent sur leur sarcloir. Des hommes conduisent leurs vaches le long des *quebradas*, des ravins profonds comme des canyons. Tout à coup, le Chimborazo apparaît. Émergeant des brumes de la Cordillère occidentale, la cime culminante de l'Équateur (6 267 m) étincelle au soleil. Riobamba, la « sultane des Andes », n'est plus loin, voluptueusement étendue au pied des trois volcans-dieux : le Tungurahua, le Chimborazo et l'inaccessible Altar.

Une sultane tellement battue par les vents, tellement fouettée que la poussière s'incruste dans ses moindres interstices, ce qui a valu à ses habitants le sobriquet d'*arena pupos*, « nombrils de sable ». Le samedi est jour de marché. L'animation règne sur la place, où l'on vend des *ponchos*, des ceintures et des blouses brodées, des objets en cuir et des poteries. Au coin des rues rôtissent les *cuy* (cochons d'Inde) ou l'*hornado* (porc grillé). Mais Riobamba, si elle est plus peuplée qu'Otavalo, n'a pas son éclat. Le Chimborazo est la province d'Équateur qui compte le plus de pauvres et d'illettrés, Indiens vivant sur de minuscules lopins de terre, Indiens inassimilables, repliés sur leurs traditions. Indiens petits, trottinant et parlant petit. Car leur vocabulaire n'est fait que de diminutifs, et l'on s'entend souvent interpeller, au détour d'une rue : *Señorcito, da me un sucrecito* (« Petit monsieur, donne-moi une petite pièce »).

Le soir venu, des groupes se forment près de la gare. À la lueur des lampes à pétrole, on boit des *canelitas* (infusions de cannelle, coupées d'alcool de canne). Dans les rues voisines s'enfoncent plus tard des formes titubantes. L'*Indiocito* noie sa misère, la mauvaise récolte ou la maladie d'une bête. Mais quand viennent les fêtes, on oublie tout. Alors frappent les *bombos* (tambours), au rythme endiablé du San Juanito ou du Carnavalito. Alors s'élève la plus belle musique des Andes, au son de la *quena* et du *rondador*, flûtes taillées entre deux nœuds de roseau. Le chant de la guitare se mêle à celui du *charango,* dont la caisse est une carapace de tatou. La vie est belle.

Les voyageurs qui ont le temps de flâner pousseront jusqu'à Cuenca, la ville universitaire du Sud. Ils y verront des maisons de marbre et visiteront la vieille cathédrale et le musée municipal, peut-être même Ingapirca, la forteresse inca, qui n'est pas loin. À moins qu'ils ne descendent jusqu'à Loja, réputée pour ses *tamales* (pâtés de maïs et de viande, aromatisés et fortement épicés). Plus vraisemblablement, ils se dirigeront vers l'est pour aller à Baños prier la Vierge des Miracles.

Vers l'Amazonie

La route de l'Oriente part d'Ambato. Après quelques kilomètres, elle traverse le village des étranges Salasacas. Ces Indiens, qui ignorent les touristes et parlent seulement le quechua, sont toujours vêtus d'un *poncho* noir, car ils portent éternellement le deuil du dernier Sapa Inca, Atahualpa. De tout temps, ils ont fait

parler d'eux. Sous l'empire du Soleil, ils étaient de ces tribus rebelles dont on se débarrassait en les confinant à l'autre bout du pays. Aujourd'hui, les Salasacas tissent des *tapices*, tentures ornées d'oiseaux géométriques et multicolores.

Mais déjà on aborde le flanc est de la Cordillère orientale. L'air se fait plus doux, la végétation plus dense. Et voici Baños, ville thermale aux eaux sulfureuses, mais surtout lieu de pèlerinage célèbre. Chaque mois d'octobre voit affluer des centaines d'Équatoriens, venus vénérer la Vierge miraculeuse. Messes solennelles, processions et veillées se succèdent sans interruption. C'est à qui offrira à la Madone le plus beau cierge sculpté, la plus grande brassée de fleurs. Ces largesses engloutissent souvent le maigre salaire, mais qu'importe ! Il faut payer, sinon la Vierge restera sourde aux supplices.

Plus bas, dans la vallée, la température est pesante. Les plantations de canne à sucre jouxtent les mandariniers. Quelques kilomètres encore, et l'on entre dans l'immense forêt vierge. Les premiers Espagnols à s'y aventurer furent Gonzalo Pizarro, frère de Francisco, et Francisco de Orellana. Ce dernier, en descendant le Napo, devait découvrir le plus grand fleuve du monde, qu'il nomma « rivière des Amazones ». Que pouvaient être, en effet, ces Indiens imberbes, aux cheveux longs, sinon des femmes-guerriers ?

Une dizaine de tribus nomades peuplent encore cette jungle épaisse, aux arbres géants. Parmi elles, les Jivaros réducteurs de têtes, qui décochent des flèches trempées dans le curare. Paradis des perroquets, des insectes, des reptiles et des *chichocos*, les plus petits singes de la planète, la forêt est difficile d'accès. Elle constitue, de ce fait, une région mal exploitée.

Les richesses de la Costa

On ne peut en dire autant du nord de l'Oriente, où le pétrole coule à flots depuis 1967. Aujourd'hui, l'Équateur, membre de l'OPEP, est le deuxième producteur d'hydrocarbures d'Amérique du Sud, après le Venezuela. Un gigantesque pipe-line escalade les sommets de la Sierra pour relier le lac Agrio à la côte pacifique. Il débouche à Esmeraldas, au nord de la grande plaine alluviale qui s'étend jusqu'au golfe de Guayaquil et dont le climat chaud et humide assure la grande richesse agricole du pays. Bananes (l'Équateur en est le premier producteur mondial), cacao, canne à sucre, café, riz, fruits : c'est la région des grandes haciendas.

Les routes qui relient la Costa à la capitale se rejoignent à Santo Domingo de los Colorados, fief des Indiens « rouges ». Les Colorados doivent leur nom à leur coutume de s'enduire certaines parties du corps et les cheveux d'une pâte végétale écarlate *(achiore)*, qui est censée les protéger contre les mauvais esprits. Dans cette région, la province de

Manabi s'est spécialisée dans la production artisanale de chapeaux extrêmement légers, tressés avec les feuilles d'un certain palmier, appelées *toquillas*. Fabriqués à Montecristi, Jipijapa et Portovíejo, ces couvre-chefs sont universellement connus sous le nom — erroné — de « panamas ».

Au sud de la généreuse Costa, Guayaquil, premier port équatorien, est nichée au fond d'un delta, à cheval sur les navigations maritime et fluviale. Inondée de soleil, c'est une ville de passage, bruyante et colorée, où les airs de *cumbias* tranchent avec la musique triste des Andes. Des bateaux lourdement chargés

remontent le río Guayas jusqu'à Babahoyo. Chaque jour, un train bondé quitte Guayaquil, gravit la Nariz del Diablo (« Nez du Diable »), un passage à pic de la Cordillère occidentale, et file vers la capitale.

Au sud du grand port, le paysage change. La végétation se raréfie, les arbustes font place aux buissons épars. De Naranja à Huanquillas, ville-frontière de l'Équateur, le désert remplace progressivement la riche plaine du Nord. Désert dû au courant froid de Humboldt, qui, en remontant du Pérou, effleure le sud du pays avant de se perdre dans l'immensité de l'océan Pacifique ■   Annick BENOIST

◄

La forme de leur couvre-chef permet de distinguer les Indiens des diverses tribus qui peuplent l'Équateur : les Salasacas, qui habitent la région d'Ambato, portent un chapeau à large bord.
Phot. Vautier-De Nanxe

▲

Lorsque le relief n'est pas trop abrupt, le climat équatorial permet de cultiver les versants des Andes jusqu'à plus de 3 000 m d'altitude.
Phot. Moser-A. Hutchison Lby

►

Orgueil de Quito, l'église de la Compañía, édifiée par deux jésuites, l'un allemand, l'autre italien, est un des plus beaux monuments baroques de l'Amérique latine.
Phot. Vautier-De Nanxe

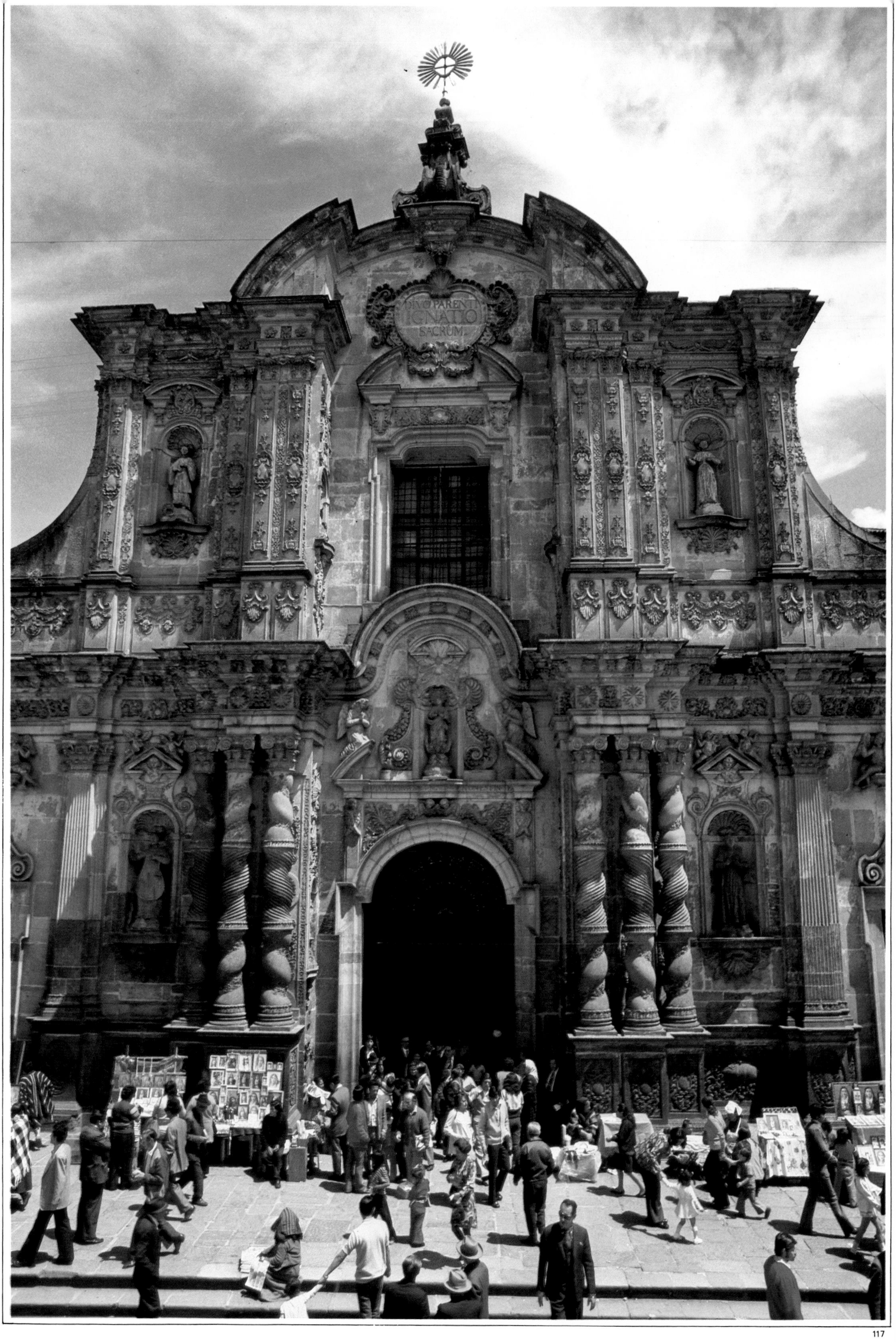

5. l'Équateur

la Bolivie

Véritable toit des Amériques, la Bolivie, cloîtrée en pleine cordillère des Andes, est un pays de jungle, de poussière et de glace, s'élevant en gradins vers le soleil.

Si les basses terres, chaudes et luxuriantes, couvrent les deux tiers du territoire national, c'est néanmoins le haut plateau qui en a toujours été le centre vital. En grande partie inexplorées, les immenses forêts se fondant dans l'« enfer vert » du bassin amazonien brésilien restent le refuge de quelques tribus indiennes évitant tout contact avec le monde moderne. Au-dessus, de 700 à 2 800 m d'altitude, s'étagent les vallées fertiles, grenier et verger du pays. Puis le vent et le froid ont raison de la végétation : c'est l'Altiplano (« Haut Plateau »). Pris dans les tenailles de deux chaînes parallèles, il ne descend guère au-dessous de 3 800 m. Seule la latitude tropicale rend habitables ses vastes étendues d'herbe rase. Ailleurs, elles seraient le domaine des neiges éternelles. C'est pourtant là, au plus près du dieu Soleil, que les ancêtres des Boliviens avaient choisi de vivre, et c'est là qu'aujourd'hui encore bat le cœur du pays.

L'Altiplano s'étend vers le Pérou, avec lequel la Bolivie partage le lac Titicaca, lac sacré des anciennes civilisations indiennes, plus haute étendue navigable du globe, dans laquelle se reflètent les glaciers de la Cordillère. À l'ouest, les Andes dévalent vers le désert de la côte chilienne. À l'est, elles glissent rapidement vers la jungle brésilienne, la savane paraguayenne et, au sud, les grandes plaines de la pampa argentine.

Comme tout le continent américain, la Bolivie semble avoir été peuplée, il y a plusieurs millénaires, par des tribus asiatiques. Venues à pied par le détroit de Béring, alors pris dans les glaces, ces tribus auraient été refoulées peu à peu vers le sud par de nouveaux arrivants. L'histoire précolombienne de la Bolivie est encore mal connue, en dehors de la période ayant précédé immédiatement la conquête espagnole. Les ruines éparses sur le territoire gardent leur mystère. D'après les plus fameuses, celles de Tiahuanaco, proches du lac Titicaca, les spécialistes s'accordent cependant à penser qu'une civilisation aymara s'épanouit à partir du VIIe siècle, atteignant un haut niveau scientifique et culturel, pour s'effondrer brusquement au Xe siècle, à la suite d'une calamité encore inconnue.

Sur les ruines de la civilisation aymara s'étend ensuite l'Empire inca qui, de sa capitale, Cuzco, au Pérou, parvint à dominer les Andes de la Colombie au Chili. Entraînés par

Histoire
Quelques repères

V. 600-900 : apogée de la remarquable civilisation aymara de Tiahuanaco.

XIIIᵉ s. : le territoire des Aymaras est rattaché à l'Empire inca, dont Cuzco (Pérou) est la capitale.

1533 : Francisco Pizarro entre à Cuzco ; effondrement de l'Empire inca.

1535 : les Espagnols pénètrent en Bolivie, alors appelée Haut-Pérou.

1545 : découverte des mines d'argent de Potosí.

1776 : le Haut-Pérou est rattaché à la vice-royauté de La Plata (l'actuelle Sucre).

1825 : libéré par Bolívar et le général Sucre, le Haut-Pérou devient la République de Bolivie.

1879-1884 : guerre contre le Chili ; la Bolivie perd son accès à la mer.

1933-1936 : guerre contre le Paraguay ; la Bolivie perd le Chaco.

1952 : nationalisation des mines d'étain.

1953 : mise en place de la réforme agraire.

1971 : le général Banzer s'empare du pouvoir et le conserve sept ans.

1978 : élections présidentielles annulées.

1979 : nouvelles élections présidentielles ; la majorité n'étant pas suffisante pour départager les deux candidats en présence, le président du Congrès assume les fonctions de président de la République jusqu'aux prochaines élections.

leur chef Mayta Cápac, les Incas conquirent au XIIIᵉ siècle le territoire des Aymaras, auxquels ils imposèrent leur système coopératif, sans toutefois assimiler complètement leurs nouveaux sujets. Grands bâtisseurs, organisateurs efficaces, les Fils du Soleil ont laissé de nombreux monuments, et même des routes et des aqueducs encore utilisés de nos jours.

Pourtant, leur empire, miné par la guerre fratricide d'Atahualpa et de Huascar, qui se disputaient le trône de leur père, s'écroula, tel un château de cartes, aux premiers coups de boutoir des soudards de Francisco Pizarro. Plus de quatre siècles après leur défaite, les Indiens misérables gardent la nostalgie de leur grandeur perdue et chantent en secret le nom de leurs empereurs asservis ou massacrés.

Des mines fabuleuses

L'actuelle Bolivie fut rattachée à la vice-royauté de Lima sous le nom de Haut-Pérou. Tout d'abord, les conquistadores espagnols, avides de richesses, négligèrent les terres inhospitalières de l'Altiplano. Il fallut la découverte des fabuleuses mines de Potosí pour qu'ils accourent, évacuant par d'interminables caravanes de mules et d'Indiens les lingots d'argent qui allaient orner les églises d'Espagne et grossir le trésor des Rois Catholiques.

Malgré de multiples tentatives de sécession, ce fut seulement le 6 août 1825 que la Bolivie

se débarrassa à la fois des tutelles du Pérou et de l'Espagne. Une nouvelle république était née, portant le nom de son libérateur, Simón Bolívar. Celui-ci en fut le premier président, le général Sucre, le deuxième.

La jeune nation, au cours d'une histoire agitée, fut contrainte de céder plus de la moitié de son territoire à ses voisins. Vers la fin du siècle dernier, le Brésil annexa toute la région d'Acre, et l'Argentine, une partie du Chaco. Beaucoup plus grave pour la Bolivie fut la guerre de 1879-1884 avec le Chili : elle y perdit le littoral de l'océan Pacifique, son seul accès à la mer. L'économie du pays ne s'en est jamais remise, et, aujourd'hui encore, les Boliviens tentent vainement d'obtenir, par la négociation, une fenêtre sur l'océan. Enfin, en 1936, à l'issue d'une guerre meurtrière pour les deux camps, le Paraguay obtint le reste du Chaco bolivien.

Ces humiliations successives expliquent en partie l'instabilité politique légendaire de la Bolivie. Qu'on en juge : depuis l'indépendance, en 1825, ce pays a eu plus de 180 présidents, bien rarement élus, soit une moyenne d'un *jefe supremo* tous les neuf mois. Le seul gouvernement qui ait laissé une empreinte durable est celui de Víctor Paz Estenssoro qui, de 1952 à 1956, nationalisa les mines d'étain, donna le droit de vote aux analphabètes et promulgua la première réforme agraire digne de ce nom de toute l'Amérique du Sud.

En 1967, Ernesto «Che» Guevara, guérillero argentin établi à Cuba, choisit la Bolivie pour porter la révolution castriste sur le continent. Les *barbudos* furent anéantis, et la Bolivie fit, pendant quelques mois, la «une» de la presse mondiale avec le procès de Régis Debray, jeune théoricien français de la révolution, puis avec la capture et l'exécution sommaire du Che. En octobre 1970, un coup d'État militaire de droite échoua, et le jeune général Torres s'empara du pouvoir avec le soutien des étudiants et des syndicats. Sa tendance trop ouvertement socialiste déplut aux États-Unis, qui favorisèrent un nouveau coup d'État en août 1971.

Le général Hugo Banzer écrasa la résistance des étudiants retranchés dans l'université de La Paz et garda le pouvoir jusqu'aux élections de 1978. Celles-ci furent annulées par l'armée. De nouvelles élections, en 1979, n'ayant pas eu plus de succès, le Congrès a chargé sa présidente, Lidia Geiler, d'assurer la présidence du pays jusqu'aux prochaines élections.

Indiens et métis

La géographie et l'histoire ont modelé la population bolivienne. Aux Indiens Aymaras sont venus se joindre leurs conquérants, les Quechuas. S'ils parlent des langues différentes, les uns et les autres se ressemblent comme des frères, avec les yeux bridés, les pommettes saillantes et les cheveux lisses, d'un noir de jais, de leurs lointains ancêtres asiatiques. Ils portent les mêmes *ponchos* colorés, les mêmes

bonnets tricotés. Le dur soleil des hautes altitudes leur a cuivré le teint. Le manque d'oxygène a réduit leur taille, mais considérablement développé leur cage thoracique.

À ces Indiens, plus fidèles à leur passé qu'à leur pays, où ils représentent 63 p. 100 de la population, s'ajoutent quelque 32 p. 100 de métis, véritables sang-mêlé ou métis «culturels», ayant abandonné leur communauté pour les mines ou la ville. Ces derniers sont les plus déshérités ; leur village, leur famille les rejettent, et ils perdent leur identité. Aux descendants des *hidalgos* espagnols, fiers de la blancheur de leur peau, se sont adjoints, au XXᵉ siècle, des émigrants européens, en majorité allemands, arrivés avant et après la Seconde Guerre mondiale.

Il est relativement facile d'identifier les différents groupes sociaux à leurs vêtements. Les Indiens portent le costume particulier à leur village, tissé en laine de mouton par les femmes. Pour savoir de quelle communauté est issu un Indien, il suffit de regarder les couleurs et les motifs de son *poncho*. Manteau le jour, couverture la nuit, le *poncho*, même sale et usé jusqu'à la corde, donne à son propriétaire une allure princière. Souvent, le *llucho* (bonnet de laine à oreilles) est également commun aux hommes d'un même village ; il se cache parfois sous un chapeau noir. Les femmes ont une robe étroite, tissée à la main, et se nouent aux épaules un *kepe*, rectangle de tissu assorti, qui leur permet de porter sur le dos enfant et maigres biens. Elles ont ainsi les mains libres pour filer la laine à la quenouille, tout en trottinant aux côtés de leurs lamas.

Beaucoup de métis portent encore le *poncho*, mais ils l'achètent en ville, uni et tissé à la machine, en laine de lama (plus chaude, d'ailleurs, que celle de mouton). Eux aussi — froid

▲
Appelée siku ou zampoña, la flûte de Pan est l'un des nombreux instruments de musique que les Indiens ont toujours fabriqués avec des roseaux.
Phot. E. Guillou

oblige — se coiffent d'un couvre-chef. Leurs femmes, les *cholas*, font le bonheur des photographes avec leurs jupes froncées sur une succession de volumineux jupons multicolores. Le jupon étant un signe extérieur de richesse, certaines métisses en mettent jusqu'à dix l'un sur l'autre ! Elles aussi portent un chapeau, qu'elles retirent en entrant à l'église. Sur l'Altiplano, c'est un petit melon marron ou noir ; à Cochabamba, il est blanc et cylindrique.

Si l'Indien travaille toujours la terre (en Bolivie, on l'appelle *campesino*, « paysan »), le métis est boutiquier, ouvrier ou mineur. Dans ce dernier cas, c'est lui qui fait vivre le pays, dont 85 p. 100 des ressources proviennent de l'exportation des minerais. La Pacha Mama, déesse aymara de la Terre, fut généreuse envers la Bolivie en la dotant d'un sous-sol exceptionnellement riche. À elle seule, l'extraction de l'étain emploie 50 000 mineurs.

La coca, remède contre la faim

Les conditions de travail des mineurs, dans des galeries situées parfois à plus de 5 000 m d'altitude, sont extrêmement dures, et l'espérance de vie de ceux-ci ne dépasse pas quarante ans. Depuis la nuit des temps, mineurs et Indiens ont recours aux feuilles de la coca, l'arbuste dont on tire la cocaïne, qu'ils mastiquent inlassablement, avec un morceau de craie pour en atténuer l'amertume. Remède dérisoire, la coca est pour eux le seul moyen d'oublier la faim et la fatigue.

Avec un sous-sol aussi riche et des vallées aussi fertiles, on peut s'étonner que le niveau de vie des Boliviens soit l'un des plus bas de l'Amérique latine et se demander pourquoi ils ne réussissent pas à s'arracher à la malnutrition, à l'analphabétisme et à la misère. L'une

▲
La Bolivie partage avec le Pérou l'immensité bleue du lac Titicaca, dominée par les neiges éternelles de la cordillère des Andes.
Phot. M.-L. Maylin

◀
Les Indiennes Quechuas qui se retrouvent le dimanche au marché de Tarabuco portent d'amples jupes de laine brodées et se drapent dans une pièce de tissu à rayures, appelée lijlla.
Phot. E. Guillou

des causes de cette stagnation est la résistance passive de la masse indienne, qui refuse de s'intégrer à la vie de la nation. Sa méfiance à l'égard des innovations, son fatalisme dû à des siècles d'implacable exploitation, la font vivre pratiquement en économie fermée. Des campagnes d'alphabétisation ont été menées sans enthousiasme, car rares sont les instituteurs qui acceptent un poste dans l'inconfort d'un village perdu loin des routes, sans eau ni électricité.

D'autre part, la géographie tourmentée du pays rend les communications difficiles. Les routes reliant les grandes villes de l'Altiplano aux vallées agricoles dévalent des pentes vertigineuses, bloquées par des éboulements à la saison des pluies. La seule protection du camionneur est l'obole qu'il dépose à l'oratoire de la Vierge avant de se lancer dans la grande descente. De petits monuments et des bouquets de fleurs au bord de la chaussée montrent que la Vierge n'est pas infaillible. Aussi les Boliviens, n'étant pas assurés d'écouler leurs récoltes vers les villes, répugnent-ils à quitter l'Altiplano pour coloniser les terres basses.

La Paz se cache

Pour la plupart des voyageurs, la première image de la Bolivie est l'aéroport de La Paz, le plus haut du monde, à 4 000 m d'altitude. L'air est léger, la lumière intense. Sur l'immensité aride de l'Altiplano, la capitale, toute proche, est invisible : elle s'abrite du vent dans une faille abrupte, écrasée par la masse glacée de l'Illimani (6 462 m), que les Indiens vénèrent comme un dieu.

Capitale administrative du pays, fondée au milieu du XVIe siècle, La Paz compte aujourd'hui 650 000 habitants environ et s'étage sur plus de 700 m de dénivelée. Le centre est à mi-hauteur, les quartiers résidentiels tout en bas. Ainsi les pauvres jouissent-ils d'un panorama unique, et les riches d'un climat moins rigoureux.

Peu de rues ont conservé leur charme colonial : La Paz est plus une ville à voir qu'une ville à visiter. Seule exception : l'église San Francisco, dont la façade est un remarquable exemple du baroque andin, synthèse de l'architecture espagnole et de l'imagination créatrice des Indiens, qui utilisèrent abondamment les motifs locaux. La place principale — Plaza Murillo — ne vaut que pour le pèlerinage à un certain réverbère, auquel le président Villaroel fut pendu en 1946 au cours d'une émeute. Cette potence improvisée porte une plaque discrète et, faisant face au palais présidentiel, rappelle aux chefs successifs du pays que la roche Tarpéienne est tout près du Capitole.

Mais ce sont surtout les contrastes saisissants de sa population qui font de La Paz une ville attachante. Les hommes d'affaires américanisés y côtoient l'Indienne venue vendre une douzaine d'œufs à même le trottoir. On ne se lasse pas de s'essouffler dans les rues pentues des quartiers populaires, en particulier autour de la rue Sagarnaga, l'une des plus colorées du continent. Les étals regorgeant de piments et de fruits tropicaux, acheminés à grand-peine des vallées, alternent avec les tréteaux où s'empilent les gros chandails en laine de lama, les bonnets et les jupons des *cholas*. Telles des marchandes d'arcs-en-ciel, des Indiennes offrent des poudres à teindre la laine, disposées en harmonie parfaite ; d'autres, tous les ingrédients de la sorcellerie, y compris des fœtus de lamas séchés, qui, enfouis sous une cahute, assurent bonheur et prospérité au foyer.

La capitale est aussi l'endroit idéal pour découvrir la musique bolivienne. Tous les vendredis et samedis soirs, des groupes se produisent dans les *peñas* («cercles»), sortes de temples de la musique et des danses traditionnelles, où l'on vient s'initier à l'un des plus riches patrimoines qui soient. Durant la dernière semaine de janvier, inutile de fréquenter les *peñas* : le folklore descend dans la rue pour la fête des Alasitas, en l'honneur d'Ekeko. Ce bon vieux dieu indien, au nez rouge et au grand sourire, vous donne, dans l'année, ce que vous avez acheté en miniature durant sa fête : minuscules sacs de riz, petits moutons en sucre ou maisons de poupée. Les plus optimistes investissent dans un modèle réduit d'avion.

▶

Au-dessus des balcons et des tuiles rondes de l'étroite rue Jaén, où l'on pourrait se croire en Andalousie, on aperçoit l'étagement des constructions accrochées aux versants abrupts qui entourent La Paz.
Phot. E. Guillou

▲
La magnifique façade baroque de l'église San Francisco, dont le portail à trois lobes évoque le style mudéjar, est le plus beau souvenir du passé colonial de La Paz.
Phot. Errath-Explorer

Double page suivante :
Non loin de la capitale, la pittoresque vallée de Zongo, à laquelle on ne peut accéder que par un col situé à 4 600 m d'altitude, n'est plus qu'un cul-de-sac abandonné, mais, jadis, ses habitants donnèrent bien du fil à retordre aux Espagnols.
Phot. M.-L. Maylin

De Chacaltaya
au lac Titicaca

S'étageant, en un raccourci unique, des neiges éternelles à la jungle tropicale, les environs de La Paz sont un véritable enchantement. En une heure et demie, une Jeep — ou l'autocar du Club andin — vous conduit à Chacaltaya, la plus haute « station » de ski du monde, à 5 200 m d'altitude. Un remonte-pente antédiluvien y fonctionne encore, au pied d'un hôtel insolite aux vitres éclatées, construit par un ministre des Sports éphémère dans les années 1930 et abandonné depuis des lustres. Sous un ciel bleu marine, on slalome de décembre à mars entre les crevasses et les grottes de glace drapées de stalactites, au pied du Huayna Potosí (6 100 m), ensorcelante pyramide de

neige. L'air est si pur que la vue s'étend, pardessus les lacs d'émeraude et le ravin de La Paz, jusqu'aux volcans empanachés de blanc de la frontière chilienne et au lac Titicaca.

Ce lac, dont on rêve sur les atlas, est le nombril culturel de la Bolivie. Les deux grandes civilisations aymara et quechua sont nées là, à 3 812 m d'altitude. Il émane de cette mer intérieure de 6 900 km[2] une telle impression de majesté que l'on comprend pourquoi les Indiens l'appellent « lac Sacré ». Bordées d'une frange de roseaux, ses eaux d'un bleu profond se confondent avec le ciel à l'heure où le crépuscule couvre d'or le teint safrané des Indiens, leurs maisons de torchis et leurs cultures en gradins.

Le grand silence n'est troublé que par les cris des canards sauvages et des flamants roses, et par le glissement chuchoté des barques des Indiens Urus, derniers survivants d'une race dont l'origine se perd dans la nuit des temps. Pour vivre, les Urus dépendent totalement des joncs (totoras) du lac. Leurs fragiles esquifs, comme les îles flottantes sur lesquelles ils habitent, sont faits de ces joncs. Ils subsistent grâce à la pêche, au troc et aux pièces de monnaie que leur lancent les touristes venus les observer à bord de canots à moteur. Leurs îles, qui pourrissent vite au contact de l'eau et que les femmes sont éternellement condamnées à consolider, se balancent au passage de l'un des deux paquebots qui relient le Pérou à la Bolivie. Fabriqués en Grande-Bretagne, ces vapeurs ont été acheminés en 1872 du Pacifique au lac en pièces détachées et à dos de mulet.

▲
Un escalier ombragé conduit aux ruines du temple précolombien élevé dans l'île du Soleil, un des sanctuaires du lac Titicaca, que les Indiens nomment toujours « lac Sacré ».
Phot. S. Held

▲
À condition de ne pas être sujets au vertige, les automobilistes peuvent emprunter certaines des pistes taillées par les Incas dans les falaises des Andes, mais les croisements posent des problèmes...
Phot. Tweedie-Colorific

▶
Ancien centre rituel des Incas, la petite ville de Copacabana, sur une péninsule du lac Titicaca, doit sa réputation actuelle à la Vierge miraculeuse qu'abrite son immense basilique.
Phot. F. Gohier

Double page suivante :
Malgré leur aridité, les vastes étendues rases de l'Altiplano sont le cœur historique de la Bolivie, les autochtones ne se plaisant que dans l'air raréfié des hautes altitudes.
Phot. Edouard-Explorer

Plus de la moitié du lac Titicaca appartient au Pérou, mais c'est dans la partie bolivienne que se trouvent les sanctuaires quechuas et aymaras. La légende veut que le trésor des Incas ait été caché près du temple du Soleil, sur l'île du Soleil. L'île voisine de la Lune abrite les ruines du palais des Vierges du Soleil. Des bateaux pour ces deux îles partent de Copacabana, petite ville connue pour son sanctuaire de la Vierge brune, à laquelle un sculpteur indien du XVIᵉ siècle donna les traits de sa race. Les Boliviens s'y rendent à pied depuis La Paz (158 km) tous les 25 août, pour prier devant l'autel d'argent massif et offrir à la Vierge les bijoux que ses miracles ont mérités.

Les ruines de Tiahuanaco

À quelques kilomètres au sud du lac Titicaca se dressent les ruines de Tiahuanaco, derniers vestiges de la mystérieuse civilisation aymara. De cette cité de pierre, édifiée probablement entre le Iᵉʳ et le XIᵉ siècle de notre ère, il ne reste guère qu'un temple semi-souterrain, deux enceintes, de gigantesques monolithes représentant des dieux, et surtout l'admirable porte du Soleil. Quels étaient ces hommes qui, sans connaître la roue, savaient transporter et ajuster au millimètre des blocs de pierre dont certains pèsent plus de 100 tonnes? Bâtisseurs, sculpteurs pleins de talent, ils excellèrent également dans l'art de la céramique, dont le Museo Tiahuanaco, à La Paz, conserve de remarquables échantillons.

Regardant passer les civilisations des hommes, indifférents et hautains, les lamas font partie intégrante du paysage de l'Altiplano, dont ils broutent les maigres touffes d'herbe depuis des siècles. On les voit partout, en petits troupeaux disséminés dans l'immensité, sous la garde d'une femme ou d'un enfant mâchonnant des feuilles de coca. Avec leurs cousins les alpagas, à la laine encore plus chaude, ils sont 4 millions, presque aussi nombreux que les Boliviens, crachant à l'occasion sur qui leur manque de respect. Leurs maîtres indiens les utilisent comme bêtes de somme, filent leur laine pour la vendre et attendent qu'ils meurent pour manger de la viande.

Au nord de La Paz, par-delà les cols de la Cordillère occidentale, la route dévale vers la jungle en toboggan vertigineux. En une centaine de kilomètres, elle monte à la limite des neiges éternelles pour dégringoler au milieu des cascades vers les eucalyptus, puis les fougères géantes, les orchidées et les fruits tropicaux. De cette région chaude des *Yungas* («vallées abritées»), des camions brinquebalants hissent jusqu'à la capitale les fruits, les légumes et la coca que les marchés revendront le lendemain.

Le carnaval d'Oruro

Au-delà des environs de La Paz s'étend une Bolivie plus secrète. Elle commence à 200 km, à Oruro, centre industriel moins tourné vers la capitale que vers les immenses exploitations minières de Siglo Veinte et Uncía. La ville est encore hantée par les fantômes des «seigneurs de l'étain» de la dynastie Patiño, qui gaspillaient en somptueuses fêtes européennes la fabuleuse fortune extraite du sous-sol bolivien. Il faut voir Oruro le mercredi, jour de marché, où les Indiens affluent de toute la région pour vendre leurs maigres récoltes. On peut leur acheter les *ponchos* et les bonnets authentiques de leurs villages, et toute la gamme des flûtes andines, de la *quena,* à la musique âpre, au *pincullo,* au son aigu. Avec un peu de chance, on peut même dénicher un *charango,* sorte de banjo indien dont la caisse de résonance est faite d'une carapace de tatou.

Une fois l'an, la semaine précédant le carême, Oruro se convertit en capitale folklorique. Son carnaval permet aux hommes de l'Altiplano, qui peinent toute l'année pour arracher le métal des entrailles de la terre, d'exprimer leurs croyances et leurs aspirations. Parés d'or et d'argent, dissimulés sous des masques impressionnants, dans un déploiement de musique, de couleurs et de richesse, les danseurs de la fameuse *diablada* miment la lutte éternelle entre le Bien et le Mal. Suivant un rite immuable depuis l'époque coloniale, ils mélangent savamment tradition chrétienne et mythes païens. Durant huit jours et huit nuits, ivres d'affreux alcools, ils dansent et bondissent, malgré l'altitude et le poids écrasant de leurs costumes, en l'honneur de la Vierge du Socavón, patronne des mineurs.

À partir d'Oruro, les routes se délabrent, et le voyageur pressé se déplacera en *ferrobus,* micheline assez confortable, qui lui fera gagner un temps précieux. Pour les autres, l'autocar reste la règle d'or, le passeport pour la Bolivie véritable, l'occasion unique d'observer et d'écouter. Comme il dessert une multitude de bourgades écartées, il n'est pas rare de passer par un village en train de célébrer son saint patron. Il faut alors descendre, toutes affaires cessantes, et se noyer dans la foule indienne. Ces fêtes, qui commencent toujours sous le patronage de l'Église, par une messe parfois suivie d'une procession, fournissent à de nombreux couples indiens l'occasion de se marier. Ces couples ont économisé durant des années l'argent nécessaire pour célébrer dignement la régularisation de leur situation, en présence de leur progéniture. Toute la communauté, vêtue de ses plus beaux atours, est copieusement nourrie et abreuvée, et des orchestres locaux accompagnent les danseurs jusqu'à ce que tout le monde roule par terre, musiciens compris. L'alcool joue en effet un grand rôle dans les fêtes indigènes, et les métis, accourus pour faire de bonnes affaires, y vendent, dans des flacons en plastique rose ou bleu, des breuvages proches du kérosène. Au bout de quelques heures, le résultat est garanti.

Il ne faut pas manquer non plus, chaque fois que l'occasion s'en présente, de pénétrer dans les églises rurales, édifiées dans un style colonial accommodé au goût indien. Elles abritent généralement une statue de la Vierge ou d'un

▲ La *diablada du carnaval d'Oruro, qui mêle la tradition chrétienne à des rites propitiatoires datant des Incas, est un ballet où des démons terrifiants sont finalement vaincus par l'archange saint Michel.*
Phot. Pictor-Aarons

▲ *Dans les premiers siècles de notre ère, les Aymaras édifièrent à Tiahuanaco une ville sainte de 100000 habitants, dont le centre était l'observatoire solaire de Kalasasaya, dit «temple semi-souterrain».*
Phot. S. Held

▶ *Les fêtes villageoises permettent aux Aymaras de faire revivre certaines traditions qui semblent remonter au temps de leur splendeur, avant l'arrivée des Incas.*
Phot. Tweedie-Colorific

la Bolivie

13

saint patron peu avare en miracles. En témoignage de reconnaissance, les obligés font exécuter, par un artiste local, des triptyques de style naïf, racontant les circonstances du prodige dans ce style : « Alors que je revenais d'Uncía la nuit, complètement ivre, je me suis endormi sur la voie du chemin de fer. Tout à coup, la Virgen de los Milagros m'est apparue dans un bruit de tonnerre et m'a dit : « Eusebio, retire-toi vite des rails ». Je n'étais pas plutôt levé qu'un train passait. Merci à la Virgen de m'avoir ainsi sauvé la vie. »

Potosí la glaciale

Aucune autre ville du continent n'évoque autant l'Amérique des conquistadores que Potosí. Fondée en 1545 à 3 960 m d'altitude, à la suite de la découverte du Cerro Rico, la « Montagne riche », qui la domine et dont les réserves d'argent, d'étain et de tungstène étaient fabuleuses, elle fut décrétée « ville impériale » par Charles Quint. Sous le joug des Espagnols, les

Les Quechuas de la région de Tarabuco portent une sorte de casque en cuir très enveloppant, la montera, *dérivé du morion des conquérants espagnols.*
Phot. Régent-A. Hutchinson Lby
▼

Indiens retournèrent la montagne pouce par pouce pour en extraire l'argent, seul métal intéressant leurs maîtres. À la fin du XVIe siècle, Potosí comptait plus de 150 000 habitants, rivalisant ainsi avec les grandes capitales européennes. Le filon épuisé, elle devint une ville fantôme balayée par les vents froids. Lorsque les pays industrialisés commencèrent, au début du siècle, à s'intéresser aux autres métaux que contenait la montagne, la ville connut un nouvel essor, et ses mineurs reprirent le chemin du Cerro Rico. Aujourd'hui, ce gigantesque amas de pierres est certainement la montagne la plus fouillée du monde.

Rues étroites, sévères demeures portant encore les armes de leurs anciens propriétaires castillans, innombrables églises fréquentées par les Indiens et les métis venus offrir un cierge à leur saint préféré, et un magnifique hôtel de la Monnaie, dans lequel on voit encore, en parfait état de marche, la machinerie qui assurait la frappe des doublons espagnols, tel est l'héritage de Potosí.

Durant la journée, le soleil chauffe la ville, la rend plus humaine. Profitant de ses rayons bienfaisants, un aveugle, assis sur une chaise bancale, dans une ruelle, récite des « Notre Père » et des « Je vous salue Marie » moyennant une petite rétribution. Pour quelques piécettes aussi, des Indiens proposent aux ménagères de porter leur sac à provisions au retour du marché. On se bouscule sur le trottoir ensoleillé, mais, en face, il n'y a personne. À l'ombre, le froid tombe sur les épaules comme une chape de plomb. La nuit, il est à peine supportable. Fiers, renfermés, les joues rendues écarlates par les morsures du vent, le teint patiné par la violente lumière, les 80 000 habitants de Potosí la glaciale vivent dans le souvenir de leur splendeur passée.

Tout près de Potosí à vol d'oiseau, mais beaucoup plus loin par la route (175 très mauvais kilomètres), Sucre — ex-La Plata — somnole, à 2 800 m d'altitude, dans sa beauté alanguie. Capitale constitutionnelle du pays, elle n'en ressemble pas moins à une sous-préfecture oubliée. On se demande où les Espagnols avaient la tête lorsqu'ils fondèrent une capitale si difficile d'accès. Loin des débouchés du pays, sans industries, elle a perdu la plupart de ses responsabilités au profit de La Paz. Cet

isolement a valu à Sucre de rester telle — ou presque — que les Espagnols l'avaient laissée. Avec ses patios fleuris et ses très vieilles églises, elle doit être visitée à pied et dégustée lentement, comme un bon vin.

Tout près, à Tarabuco, les Indiens portent un chapeau de cuir en forme de casque de conquistador. Leurs *ponchos*, tissés avec des laines d'une dizaine de couleurs différentes, sont célèbres dans toute la Bolivie. Le pittoresque

◄
Bien qu'il n'ait pas l'endurance de son cousin le chameau, le lama est utilisé comme bête de somme dans les solitudes désolées de l'Altiplano.
Phot. B. Jourdan

la Bolivie

14

marché du dimanche permet de faire l'emplette de vêtements typiques n'ayant pas été confectionnés à la seule intention des touristes.

La « chicha » de Cochabamba

Centre d'une région très fertile et deuxième ville du pays, Cochabamba est située dans une belle vallée, à 2 500 m d'altitude seulement. Les hommes d'affaires de La Paz aiment venir s'y changer les idées, et nombre d'entre eux y possèdent une résidence secondaire. Il est vrai que tout est plaisant à Cochabamba, ses habitants et ses rues ombragées comme ses environs, et il fait bon y passer l'après-midi dans une *chichería*, sorte d'estaminet où l'on boit en plein air de la *chicha* en grignotant des *salteñas* (petits pâtés fourrés). Cette boisson de maïs fermenté est commune aux pays andins : aigre en Équateur, passable au Pérou, elle est délicieuse en Bolivie, particulièrement dans la région de Cochabamba.

Les fêtes folkloriques se succèdent dans cette vallée bénie des dieux, mais la plus spectaculaire est celle du 15 août à Quillacollo, en l'honneur de la Vierge d'Urkupiña. Cette madone très en vogue octroie, dit-on, une maison dans l'année à qui la lui demande. Son

▲
Potosí est dominée par le Cerro Rico, la « Montagne riche » dont les fabuleuses réserves d'argent firent jadis la fortune de la ville.
Phot. Vuillomenet-Rapho

pèlerinage, qui fait fureur depuis peu, s'accompagne d'un grand déploiement de chants et de danses, beaucoup plus gais que sur l'Altiplano.

Passé les derniers contreforts de la Cordillère, au cœur des vastes plaines moites qui annoncent le Mato Grosso brésilien, Santa Cruz s'affaire... quand elle ne complote pas. Le soir, à l'heure du *paseo* (« promenade ») sur la place principale, dans cette ville bien trop chaude pour qu'un Indien accepte d'y vivre, on entend parler l'allemand autant que l'espagnol. Grand centre pétrolier et agricole, Santa Cruz a poussé de bric et de broc dans le style « Far West », avec ses maisons de bois. Comme au Texas, on y prend le frais dans un fauteuil à bascule, les pieds sur la balustrade, le chapeau rabattu sur les yeux. De notoriété publique, Santa Cruz méprise l'immobilisme de l'Altiplano et se sent davantage attirée par le Brésil, lequel ne cache pas ses visées sur elle. Le chemin de fer qui la relie à son gigantesque voisin en douze ou vingt-quatre heures, selon que l'on prend un *ferrobus* ou le train normal, a fait rêver plus d'un globe-trotter.

De même que Santa Cruz, la ville la plus orientale de la Bolivie, vit sous l'influence du Brésil, Tarija, la plus méridionale, regarde vers l'Argentine. Située dans une région aussi riante que fertile, Tarija ne demande rien à personne et s'était même proclamée république indépendante en 1807, à la grande colère des Espagnols. Sa production agricole intensive de maïs, de blé, de légumes et d'un succulent raisin ne peut être écoulée sur le marché national : La Paz, au-delà de mille cols et mille ravins, est trop lointaine ; Potosí, la ville la plus proche, est déjà à douze heures d'autocar !

Mais, ici, l'isolement est joyeusement accepté. Profondément religieuse, farouchement individualiste, Tarija chante et danse. Ses habitants ont forgé un folklore gai et léger, à l'image de leurs vallées, bien différent de la gravité de l'Altiplano. Les trois premiers dimanches de septembre, la ville en liesse promène dans les rues la statue somptueusement parée de San Roque. Précédée d'Indiens voilés, la procession défile sous une pluie de fleurs, et toute la ville participe à la fête, en costumes typiques, jusqu'aux chiens, enrubannés pour l'occasion.

C'est bien l'extrémité de la Bolivie. Déjà, l'on capte les programmes de la télévision argentine. À quelques dizaines de kilomètres s'achèvent les montagnes et commencent les grandes plaines de la Pampa, qui d'un seul trait, sans un obstacle, s'étendent jusqu'à l'océan Atlantique ■ Marie-Christine RAITBERGER

▲
C'est à Sucre (qui s'appelait alors La Plata), dans une ancienne chapelle de jésuites devenue Casa de la Libertad, que fut proclamée, en 1825, l'indépendance de la Bolivie.
Phot. F. Gohier

▲
Dans les bourgades agricoles qui entourent Cochabamba, les étalages de poterie et les chapeaux des femmes confèrent aux marchés hebdomadaires une indiscutable couleur locale.
Phot. F. Kohler

▶
Indien Aymara des bords du lac Titicaca, paré du somptueux costume qui, l'espace du carnaval, lui fait oublier l'indigence de son existence quotidienne.
Phot. C. Lénars

le Paraguay

Au cœur de l'Amérique du Sud, à l'écart des grands circuits touristiques, le Paraguay est l'un des plus jolis pays du continent... et l'un des plus pauvres.

Deux grands fleuves modèlent la géographie de ce territoire sans débouché sur la mer et conditionnent la vie de ses 2 810 000 habitants : le Paraguay, qui lui a donné son nom, le coupe en deux, laissant à l'ouest la jungle peu habitée du Chaco et à l'est les forêts et les plaines fertiles où vit la majorité de la population ; le Paraná, deuxième grand fleuve d'Amérique du Sud après l'Amazone, le sépare du Brésil, puis de l'Argentine. À Foz do Iguaçu, où les trois pays se rencontrent, un affluent du Paraná croule en cataractes de 80 m de haut, plus spectaculaires que le Niagara, mais le Paraguay a manqué sa chance de peu : les chutes sont en territoire brésilien et argentin.

L'histoire du Paraguay évoque irrésistiblement un conte de fées qui aurait mal tourné. Il était une fois un peuple indien, aimable et pacifique, qui vivait heureux dans ses forêts. Lorsque les conquistadores espagnols arrivèrent, les Guaranis ne virent guère d'inconvénients à partager leurs terres avec eux. Leur pays étant difficile d'accès et, au demeurant, dépourvu de mines d'or ou d'argent, les garnisons espagnoles restèrent peu nombreuses, et les Rois Catholiques chargèrent les jésuites de se substituer aux soldats pour coloniser ces « bons Indiens ».

Les pères jésuites regroupèrent les Guaranis dans de petites villes fortifiées, les *reducciones,* pour les éduquer, leur donner un métier et, aussi, leur faire bâtir de magnifiques églises. En 1768, les Espagnols décidèrent néanmoins d'expulser ces missionnaires intelligents, mettant un

point final à une expérience de cent cinquante ans de colonisation souvent qualifiée d'exemplaire. Les Guaranis subirent désormais le triste sort des autres Indiens d'Amérique latine, travaillant durement la terre des riches propriétaires blancs. Ils le font encore de nos jours.

Contrairement à ses voisins, le Paraguay obtint son indépendance sans tirer un coup de fusil, en 1811. Ce fut pour tomber aux mains de *caudillos* (« chefs ») plus ou moins excentriques, qui firent bon marché des habitudes pacifiques des Guaranis. Ainsi, en 1865, Francisco Solano López déclara-t-il la guerre à rien moins que l'Argentine, le Brésil et l'Uruguay réunis. Le petit Paraguay succomba devant la Triple-Alliance, après cinq ans de combats désespérés au cours desquels femmes et enfants durent se joindre aux soldats. Bilan : près d'un million de morts, trois fois moins de survivants.

▲
La beauté du lac Ypacaraí, centre de villégiature du Paraguay, console un peu les Paraguayens de n'avoir aucun débouché sur la mer.
Phot. E. Guillou

le Paraguay

Le pays ne se remit jamais de ce désastre méconnu, encore aggravé par la guerre meurtrière du Chaco contre la Bolivie, que le Paraguay gagna en 1935, et la guerre civile de 1949. L'ordre ne revint vraiment qu'avec l'arrivée au pouvoir du général Alfredo Stroessner, président de la République depuis 1954.

Une population de métis

Pourchassés, en voie d'extinction, les Indiens de race pure ne représentent guère plus de 2 p. 100 de la population. Maîtres du Chaco jusqu'à la guerre contre la Bolivie, ils sont progressivement repoussés dans des réserves, et leurs conditions de vie sont plus proches de l'âge de la pierre que du XXe siècle. À l'autre bout de l'éventail social, une aussi faible proportion de descendants d'Espagnols continue à dominer la vie économique et politique du pays.

Entre les deux, il y a les métis, 95 p. 100 des Paraguayens, plus fiers de leurs origines indiennes que de leurs quelques gouttes de sang espagnol, qui se vantent d'être guaranis. Petits mais beaux, avec leurs cheveux d'ébène, ils sont gais et nonchalants. Extraordinairement hospitaliers, ils ont la misère discrète. S'ils manient l'espagnol sans difficulté, ils préfèrent parler guarani, faisant ainsi du Paraguay le pays latino-américain où la langue indienne a conservé le plus de vigueur : elle est utilisée à la radio, dans la presse et les théâtres d'Asunción.

Capitale et seule grande ville du pays, Asunción s'étend sur la rive orientale du Paraguay. La vieille ville, au bord de l'eau, conserve d'anciennes maisons de style mauresque, aux murs pastel et aux grilles ouvragées ouvrant sur des patios pleins de fleurs. L'agglomération s'est étendue vers les collines, mais les villas modernes n'ont malheureusement pas le même charme. Les principaux monuments datent de la guerre de la Triple-Alliance et reflètent le goût que le président Solano López avait pour la France : le palais du Gouvernement ressemble à un petit Louvre, et le Panthéon des héros s'inspire du Dôme des Invalides.

Toute capitale qu'elle soit, Asunción reste une bourgade où tout le monde se connaît. On y voit des vaches paître sur la place de la Cathédrale, et de luxueuses voitures américaines (probablement importées illégalement, la contrebande étant le sport national du Paraguay) doubler des autobus ressemblant à des cageots montés sur roues. Tirées par des bœufs blancs, de petites charrettes chargées de fruits et de légumes obstruent la circulation en se rendant vers le marché.

Les habitants aiment à flâner dans les rues étroites, et, le soir, des groupes de jeunes déambulent avec leurs guitares pour offrir la sérénade. Hospitalité oblige, on leur ouvre toutes grandes les portes pour les inviter à boire et à discuter de tout, sauf de politique. Pendant la saison des pluies, d'octobre à avril, les orages se jouent du système d'évacuation des eaux, transformant en quelques instants Asunción en une gigantesque piscine sur laquelle flottent les voitures au moteur noyé.

Deux routes seulement

En dehors de quelques pistes creusées d'ornières, poussiéreuses pendant la saison sèche, boueuses après la pluie, et de la toute nouvelle voie qui s'enfonce dans les solitudes du Chaco, le réseau routier se limite à deux routes goudronnées : l'une mène en Argentine, l'autre au Brésil.

La route n° 1, qui relie Asunción à Encarnación, à la frontière argentine, pourrait s'appeler « route des Missions ». Jalonnée de ravissantes églises édifiées par les Guaranis au temps des jésuites, elle traverse un paysage idyllique de douces collines parsemées de palmiers et d'orangers, parmi lesquels les taches de couleur

des buissons de fleurs sauvages tranchent sur toute la gamme des verts.

Encarnación, sur le Paraná, face à la ville argentine de Posadas, est un gros village endormi, dans lequel les fiers *gauchos* se promènent à cheval dans les rues blanches de poussière. La plupart des taxis sont encore des fiacres à la mode paraguayenne. Seul le port bourdonne d'activité. Les bacs qui font passer le fleuve aux trains de Buenos Aires dépassent une multitude de petites barques allant livrer sur l'autre rive des cargaisons d'équipements électroniques et audiovisuels. Ces caméras sophistiquées, ces calculatrices de poche dernier cri, les Argentins sont venus la veille les acheter à des prix défiant toute concurrence, avant de retourner dans leur pays les mains vides. Comme par miracle, les barques passent sous l'œil étrangement myope des douaniers paraguayens, puis argentins.

La route n° 2 file plein est vers Puerto Presidente Stroessner, en face de Foz do Iguaçu, d'où l'on passe au Brésil en franchissant le Paraná sur le pont de l'Amitié. Il faut, en chemin, s'arrêter à Itauguá, célèbre dans tout le continent pour sa dentelle *ñanduti*. Dans les rues sont exposés mantilles, nappes et mouchoirs, véritables toiles d'araignée où se mêlent motifs poétiques et géométriques, délicats chefs-d'œuvre représentant parfois des années de travail ■   Marie-Christine RAITBERGER

▲
Cathédrale d'Asunción, capitale et seule ville importante du Paraguay.
Phot. E. Guillou

▶
Les Guaranis, auxquels appartient cette Indienne revêtue des parures traditionnelles, ne forment plus qu'une part infime de la population, mais d'innombrables métis parlent toujours le guarani, langue officielle avec l'espagnol.
Phot. Andia-Atlas-Photo

le Chili

« Le Chili est une volonté d'être », a écrit la poétesse Gabriela Mistral. Pour s'en convaincre, il suffit de jeter un coup d'œil sur la carte. Coincé, sur la façade ouest de l'Amérique du Sud, entre la barrière presque infranchissable des Andes et le fossé du Pacifique, le Chili s'étire sur 4 200 km — la distance Glasgow-Dakar — avec une largeur moyenne vingt et une fois moindre (200 km). Quand on songe aux différences existant, dans des pays aux formes bien plus ramassées, entre Méridionaux et gens du Nord, on imagine que la communication entre l'habitant d'Arica, à la frontière du Pérou et de la Bolivie, et celui de Punta Arenas, sur le détroit de Magellan, aux confins de la Patagonie, ne va pas de soi.

Pourtant, les 10 millions de Chiliens, qu'ils descendent des Indiens d'origine, des colonisateurs espagnols (les plus nombreux) ou des colons allemands, suisses, français, italiens, basques, grecs et irlandais, ont su se forger une identité. Ici aussi le *melting pot* américain a joué. D'autant plus que, isolé entre montagne et mer, le Chili a développé un particularisme qui pourrait être celui d'une île.

Découvert par Magellan en 1520 (pour le Sud) et par Diego de Almagro en 1535, le pays n'est pas conquis lorsque, en 1540, Pedro de Valdivia, venu du Pérou, entreprend de le coloniser. Pour cela, le conquistador ne dispose que de 150 soldats espagnols et de 1 000 Indiens, mais cette petite troupe est armée de modernes mousquets, bien protégée par de solides cuirasses, et elle dispose de chevaux, inconnus ici. Les premières tribus rencontrées se soumettent facilement. Valdivia pose, dans la vallée du río Mapocho, la première pierre de ce qui deviendra Santiago et, confiant, poursuit sa marche vers le sud jusqu'au moment où il pénètre dans le pays des Araucans, des Indiens venus de l'est (l'Argentine actuelle) en traversant les Andes. Ils sont combatifs, farouches et bien organisés. Les Espagnols, après une longue guérilla indécise, doivent accepter une sorte de frontière sur le río Bío-Bío et se replient sur la zone centrale. En 1553, Valdivia, fait prisonnier par le chef Lautaro, est torturé à mort. Quelques années auparavant, Lautaro, fils de chef entré au service des Espagnols, avait pu étudier les mœurs et la tactique des conquérants... sous couvert de cirer leurs bottes.

En fait, il faudra trois siècles pour réduire les Indiens à merci. Trois siècles pendant lesquels les Espagnols se contenteront du Centre, où ils implanteront des *villas* au sens latin du terme : de grandes exploitations agricoles, où les races et les cultures se fondront dans une paix

▲
Les étriers des huasos — *les gauchos chiliens — sont munis de sabots en bois sculpté où les pieds se logent à l'aise.*
Phot. E. Guillou

Histoire
Quelques repères

1520 : Magellan découvre le détroit qui porte maintenant son nom, à la pointe sud du continent.

1535 : envoyé par Pizarro, Diego de Almagro, parti du Pérou, tente de coloniser le Chili.

1540 : deuxième expédition espagnole sous la direction de Pedro de Valdivia, qui repousse les Araucans et fonde Santiago et Concepción.

1778 : le Chili, jusqu'alors province de la vice-royauté du Pérou, devient une capitainerie générale.

1810 : profitant de la vacance du pouvoir espagnol (Charles IV a été détrôné en 1808), une assemblée de gouvernement se constitue le 18 septembre, à l'initiative de Bernardo O'Higgins.

1814 : le vice-roi du Pérou envoie au Chili une armée qui bat les insurgés à Rancagua ; répression féroce.

1817 : O'Higgins, réfugié en Argentine, rassemble une troupe et, avec l'aide de San Martín, passe les Andes et bat les royalistes à Chacabuco.

1818 : la République chilienne est proclamée.

1833 : le pays se dote d'une Constitution qui restera en vigueur jusqu'en 1925.

1866 : guerre contre l'Espagne et le Pérou ; bombardement de Valparaíso.

1879 : guerre du Pacifique contre le Pérou et la Bolivie ; le Chili, vainqueur, annexe Arica, le port du Nord.

1891 : le Congrès instaure le régime parlementaire.

1902 : conflit avec l'Argentine au sujet de la frontière andine.

1925 : rétablissement — grâce à l'armée — du régime présidentiel et nouvelle Constitution.

1938 : gouvernement du Front populaire.

1958 : la droite reprend le pouvoir.

1964 : un démocrate-chrétien, Eduardo Frei, est élu à la présidence.

1970 : l'Unidad Popular porte le Dr Salvador Allende au pouvoir.

1973 : une junte militaire prend possession du gouvernement ; Salvador Allende meurt les armes à la main.

relative, maintenue par un capitaine général nommé par Madrid.

Curieusement, c'est Napoléon qui détruit cet équilibre en envahissant l'Espagne. En 1810, profitant de ce que le roi Charles IV a été détrôné et fait prisonnier, une assemblée de gouvernement se constitue pour combler le vide du pouvoir. Sa première réunion a lieu le 18 septembre, jour qui deviendra celui de la fête nationale chilienne. Suit une période troublée, où s'affrontent les fidèles du roi d'Espagne et les partisans de l'indépendance. C'est Bernardo O'Higgins, fils d'un vice-roi venu d'Irlande chercher fortune dans le Nouveau Monde, qui, en 1818, va donner son indépendance au Chili, avec l'aide du *libertador* argentin, San Martín. «Directeur suprême» de la République, O'Higgins — le «George Washington» chilien — démissionne en 1823,

▲
Aride, désolée, chaotique, la vallée de la Lune est l'un
des sites les plus spectaculaires du désert d'Atacama.
Phot. F. Gohier

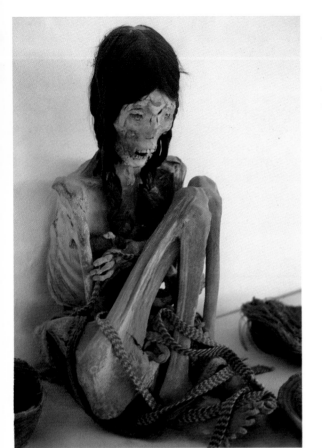

Le désert du Grand Nord

Le Grand Nord *(Norte Grande)* est une région désertique, où la cordillère Côtière surgit du Pacifique pour enserrer, avec les Andes gigantesques et glaciales, une dépression rocailleuse dont la largeur atteint 80 km et dont l'altitude se situe entre 1 000 et 1 300 m. Cette dépression a un millier de kilomètres de long. Mille kilomètres de sécheresse aride et désolée, qui firent pourtant, au siècle dernier et au début du nôtre, la richesse du pays, grâce au guano, aux nitrates et au cuivre.

La ville la plus septentrionale est le port d'Arica, relié au Pérou par la Panaméricaine (immense route qui, partie de l'Alaska, traverse les Amériques du nord au sud) et à La Paz, capitale de la Bolivie, par un chemin de fer de 450 km, qui franchit les Andes en offrant au voyageur une succession de paysages inoubliables. Autrefois, Arica appartenait à la Bolivie, dont elle était le seul débouché sur la mer, mais celle-ci perdit la ville en 1879, en même temps que la guerre du guano. Ce conflit avait été déclenché par les Chiliens, mécontents de la taxe que les Boliviens entendaient leur faire payer sur le nitrate qu'ils exploitaient dans les déserts de Tarapacá et d'Atacama. Ce port du bout du monde possède une étrange cathédrale pseudo-gothique à structure métallique, conçue par l'ingénieur français Eiffel.

Tout près d'Arica, une oasis dans le désert le plus sec du monde (1 mm d'eau par an) : la vallée d'Azapa, qui ressemble à un fleuve de verdure coulant entre deux berges de sel escarpées. Irriguée par l'eau des Andes, elle produit des fruits en abondance.

À 150 km à l'est d'Arica, en haute montagne, les cabanes à toit de chaume et l'église de pierre du village indien de Parinacota se distinguent à peine sur le fond blanc et caillouteux du désert, surmonté d'un ciel intensément bleu. À l'horizon, de l'autre côté de la frontière avec la Bolivie, le Sajama monte une garde vigilante du haut de ses 6 520 m. En deçà de la frontière, le lac Chungara, qui, à 4 500 m, revendique le record mondial d'altitude, reflète dans le miroir poli de ses eaux vertes la tête enneigée d'un volcan de 6 000 m.

La route qui dévale vers le sud réserve plusieurs rencontres intéressantes. Chuquica-mata, à plus de 3 000 m d'altitude, est la plus importante mine de cuivre à ciel ouvert du monde. D'une carrière en terrasses jaune et rouge, ressemblant à un gigantesque théâtre grec (4,5 km de long, 1,5 de large, 500 m de profondeur), 10 000 mineurs extraient chaque jour 180 000 t de minerai. On en tire 1 000 t de cuivre pratiquement pur, et les résidus vont s'entasser dans les environs, où ils forment d'énormes terrils jaunâtres.

Non loin de là, Calama, où l'on prétend que le vent se lève d'un bout de l'année à l'autre à 14 heures juste, est un centre d'excursions dans le désert salé d'Atacama et vers San Pedro de Atacama, petit village édifié dans un site extraordinaire : la demi-douzaine de volcans en sommeil qui bornent l'horizon frôlent les 6 000 m (Paruri, Sairecábur, Licancábur) ou même les dépassent largement (Tocorpuri, 6 755 m). Leurs flancs gris, coiffés de neige, surgissent brusquement du plateau dont la maigre végétation nourrit chichement quelques lamas, providence des montagnards andins, qui les utilisent comme bêtes de somme, boivent leur lait, tissent leur laine et mangent leur viande.

Il y a trente ans, un jésuite, Gustave Le Paige, archéologue passionné, entreprit des fouilles autour de San Pedro de Atacama, dans le désert où vivait autrefois une tribu d'Indiens Kunzas. Il mit au jour plus de 5 000 squelettes et quelque 400 corps momifiés par la sécheresse du sol, ainsi que de nombreuses offrandes déposées dans les tombes — vases, bijoux, flèches, étoffes, etc. —, qui sont exposés dans le musée proche de l'église. À peu de distance du village aux petites maisons séparées par des potagers, la vallée de la Lune, toute rouge, est hérissée de pics pointus qui justifient parfaitement son nom.

À 70 km de là, El Tatio est une zone rouillée, sulfureuse, où jaillissent des geysers dont la puissance décroît à mesure que le soleil monte dans le ciel. On projette d'installer ici une centrale géothermique, qui transformera ce réservoir d'eau bouillante en producteur d'électricité.

En redescendant sur la côte après cette incursion dans le désert d'Atacama, on retrouve la civilisation à Antofagasta, le port — un peu serré sur son étroite plaine côtière — qui exporte le cuivre de Chuquicamata et les nitrates de la région. Antofagasta est surtout

n'ayant pas réussi à imposer les réformes qu'il préconisait. Mais le pays s'organise et vote, en 1833, une Constitution qui restera en vigueur jusqu'en 1925. Pendant cette période, le territoire des Araucans, dans le Sud, est pacifié jusqu'au détroit de Magellan. Le Chili est alors unifié depuis le Nord, désertique et torride, jusqu'à l'Antarctique, désertique et glacé.

L'importance de l'axe nord-sud au Chili est encore accentuée par le relief. Un cinquième seulement de la surface du pays est composé de terres planes. À l'est, la cordillère des Andes sert de frontière avec l'Argentine. À l'ouest, la cordillère Côtière plonge dans le Pacifique. Au centre, la dépression intermédiaire, dite Vallée centrale, est formée de hauts plateaux qui s'abaissent peu à peu, à mesure que l'on descend vers le sud, jusqu'à devenir, aux deux tiers du pays, une plaine qui se termine à la mer. À partir de là, le tiers sud du Chili n'est plus constitué que par les Andes et, au large, par les îles et îlots d'un prodigieux archipel, formé par les sommets de la cordillère Côtière engloutie.

Dans ces conditions, il est évident que les voies de communication ouest-est ne peuvent être que des rocades, greffées sur un tronc étiré du nord au sud, qui traverse toute la gamme des paysages et des climats sans jamais franchir de frontière. Visiter le pays dans ce sens, qui fut celui de la colonisation, est la façon la plus logique : elle fait traverser successivement le Grand Nord, le Petit Nord et le Sud.

▲
Familièrement surnommée «miss Chili», cette jeune Indienne Kunza, momifiée par les sables du désert d'Atacama, doit avoir près de douze cents ans. (San Pedro de Atacama.)
Phot. E. Guillou

Un Petit Nord
à peine moins aride

remarquable par ses parcs et ses promenades, ombragés par de magnifiques palmiers. Non pas que le sol soit moins aride ici qu'aux alentours, mais, au temps du grand commerce des nitrates, les cargos qui devaient affronter les tempêtes du 55ᵉ parallèle ne s'y risquaient pas les cales vides : la bonne terre européenne dont ils les lestaient explique la végétation actuelle. À quelques encablures du rivage, le rocher isolé de la Portada dresse à 30 m de hauteur le portail percé par les vagues au cours des siècles.

Plus au sud, on atteint la région compartimentée des *pampas*, bassins délimités, dans la dépression centrale, par les reliefs unissant la cordillère Côtière aux Andes. Le paysage, toujours aride, sauvage et beau, est ponctué de petites villes minières, tel le port de Chañaral, dont les maisons de bois évoquent les villes du Far West de la ruée vers l'or. Le Chili a d'ailleurs aussi ses villes fantômes, désertées par les mineurs et les commerçants après la crise du nitrate des années 30. C'est le cas de Chacabuco, entre Antofagasta et Calama, qui comptait une dizaine de milliers d'âmes au temps de sa splendeur, pendant les années 20.

Peu à peu, l'eau fait son apparition et, toujours sur fond de montagnes pelées, de discrets cours d'eau dessinent timidement des vallées où la végétation s'installe aussitôt : c'est le Petit Nord *(Norte Chico)*. Le climat du Grand Nord s'adoucit peu à peu pour devenir tempéré-chaud à la latitude de Valparaíso-Santiago, dont ne nous séparent plus qu'une halte à La Serena, au bord du Pacifique, et une excursion dans la vallée du río Elqui.

La Serena est une agréable ville de style colonial espagnol, remarquablement conservée, où l'on cherche toujours un trésor enfoui jadis par les pirates. On y trouve une cathédrale, 29 églises, plusieurs couvents et beaucoup de maisons anciennes à patio et à azulejos. De là, on remonte la vallée de l'Elqui jusqu'à Vicuña, où Lucila Godoy y Alcayaga naquit en 1889. Devenue institutrice rurale, la jeune Chilienne se mit à écrire des poèmes sous le nom de Gabriela Mistral. En 1914, elle publia *les Son-*

nets de la mort, qui la rendirent vite célèbre dans toute l'Amérique latine. Nommée directrice de lycée à Temuco et à Santiago, elle fut appelée au Mexique en 1921 pour créer une école moderne, et, en 1923, elle publia à New York l'ensemble de son œuvre poétique, sous le titre poignant de *Desolación.* Prix Nobel de littérature en 1945, après avoir été consul du Chili en Espagne et en France avant la Seconde Guerre mondiale, elle mourut à Hempstead, près de New York, en 1957. Conformément à sa volonté, elle repose dans sa vallée natale du río Elqui, où son visage, sculpté dans le roc rouge de la montagne, perpétue son souvenir.

Le célèbre poète chilien Pablo Neruda (1904-1973), autre prix Nobel de littérature (1971), qui connut la poétesse alors qu'il était enfant, évoque ainsi cette rencontre : « Vers cette époque arriva à Temuco une dame habillée long, grande malgré ses talons bas. C'était la nouvelle directrice de l'école des filles. Elle venait de notre ville australe, des neiges de Magellan. Elle s'appelait Gabriela Mistral. Je la regardais passer dans les rues de ma ville avec ses robes jusqu'aux pieds, et elle me faisait peur. Pourtant, le jour où l'on m'emmena lui

◀
Près de Chuquicamata, à plus de 4 000 m d'altitude, l'activité volcanique de la cordillère d'Antofagasta se manifeste par les sources chaudes et les geysers d'El Tatio.
Phot. Barbey-Magnum

▲
Les cactus, dont les tiges charnues retiennent l'humidité de la rosée et dont les feuilles se réduisent à des piquants, sont les végétaux les mieux adaptés à la terrible sécheresse du désert d'Atacama.
Phot. Silvester-Rapho

▶
Convertis au catholicisme par leurs conquérants, les Indiens Quechuas du Grand Nord chilien ont édifié des églises rustiques où le style espagnol se mêle aux traditions architecturales des Incas. (Église de Guallatira.)
Phot. Gohier-Pitch

▲
Les cerros *(collines) auxquels s'accrochent les maisons de Valparaíso sont si abruptes que des escaliers — qui ne rebutent ni les habitants ni leurs mulets — y tiennent souvent lieu de ruelles.*
Phot. Boutin-Explorer

rendre visite, je la trouvai gentille. Sur son visage bronzé, où le sang indien prédominait comme sur une belle poterie araucane, ses dents très blanches se découvraient en un grand sourire généreux qui illuminait la pièce où nous nous trouvions. »

Au nord de Valparaíso, Viña del Mar (les Chiliens disent simplement « Viña »), l'Acapulco chilienne, doit son nom à la vigne plantée ici dès 1560 par un capitaine espagnol. C'est la station balnéaire la plus élégante du pays, très « bon chic - bon genre » avec ses promenades, ses villas hispano-mauresques nichées dans la verdure, ses manoirs style côte normande et

son casino, base de la réputation *exciting night life* de la station. La plage, qui se déroule le long de la baie de Valparaíso, est une des plus belles du monde. Malheureusement, en dépit de la latitude (33^0, celle de Buenos Aires), l'eau n'est pas très chaude, le courant froid de Humboldt, venu de l'Antarctique, longeant la côte et maintenant la température de la mer à moins de 18 ^{0}C.

Par la côte, l'Avenida España conduit de Viña del Mar à Valparaíso, deuxième ville du Chili, dont on voit peu à peu se préciser les hauteurs, alignées en un remarquable amphithéâtre. Elles sont quarante et une, ces collines *(cerros)*, toutes couvertes de maisons à deux ou trois étages, parfois montées sur pilotis pour compenser la déclivité et souvent gaiement coloriées en bleu, en rose ou en vert. Comme au bord de la Méditerranée, du linge sèche aux fenêtres. Il y a aussi de petits jardins et beaucoup de ruelles, de passages, d'impasses, de recoins où seuls les ânes et les mulets parviennent à se faufiler.

La baie, les collines, les maisons peintes... On pense à San Francisco, mais, ici, les tramways à câble sont remplacés par une vingtaine de funiculaires, les *ascensores*, qui relient les quais bourdonnant d'activité — le Plan — au balcon qui les domine. Comme San Francisco, Valparaíso a été détruite en 1906 par un tremblement de terre, suivi d'un raz de marée. Premier port de pêche du pays, elle possède de nombreux restaurants à poisson, souvent excellents. C'est aussi le premier port militaire chilien. L'École navale y est installée, et elle est très fière de l'*Esmeralda*, son trois-mâtsécole.

De Valparaíso, une vallée transversale de la cordillère Côtière permet de gagner les grandes stations de ski des Andes, et notamment Portillo, dont les pistes sont célèbres depuis les championnats du monde de ski de 1966. À Los Andes, dont le nom indique bien la situation, on rejoint la ligne de chemin de fer qui relie Santiago à Buenos Aires en traversant les Andes et tout le continent, large ici de plus de 1 200 km. Notons, au passage, que Los Andes détient, dit-on, un record mondial peu enviable,

celui des tremblements de terre, mais la vallée est si fertile que ses habitants préfèrent s'accommoder des séismes plutôt que de l'abandonner : il faut dire que, sous cette latitude, à l'abri des vents d'ouest, avec le soleil andin et l'eau de la montagne, primeurs, arbres fruitiers et vignes poussent avec la plus grande facilité.

Au milieu de la vallée coule un *río* d'allure alpestre qui porte un nom bien connu : Aconcagua. Il le doit au massif montagneux dans

◄

Au pied des quarante et une collines de Valparaíso, le Plan, en bordure de mer, est le quartier des affaires et des équipements du principal port chilien.
Phot. Jahn-Image Bank

lequel il prend sa source et dont on a longtemps cru que la cime (en Argentine) culminait à 7 040 m, alors que les derniers relèvements géodésiques ont démontré qu'elle ne dépassait pas 6 960 m. Même amputé de ces 80 m, l'Aconcagua reste le sommet le plus élevé de l'hémisphère Sud. C'est au sud-ouest du massif, à 2 800 m d'altitude, que Portillo déploie ses pistes ensoleillées et pourtant enneigées pendant la majeure partie de l'année. Non loin, le col de la Cumbre, qui permet de passer en Argentine, est dominé, à 4 060 m, par un Christ monumental, tenant sa croix de la main gauche et levant la droite, dans un geste de bénédiction, vers le pays voisin. Il a été fondu dans le bronze de vieux canons, et son socle porte une inscription au pacifisme peu commun : «Ces montagnes disparaîtront avant qu'Argentins et Chiliens rompent la paix qu'ils ont scellée au pied du Christ Rédempteur.»

▲
Derrière le Salar de Carcotte, l'une des vastes salines qui parsèment les solitudes désertiques du plateau central des Andes, pointe la masse neigeuse de l'Aucanquilcha (6 180 m).
Phot. M. Bruggmann

Santiago,
charnière entre le Nord et le Sud

C'est à une centaine de kilomètres au sud-ouest du *Cristo Redentor* et à 600 m d'altitude, dans la dépression qui s'étire du nord au sud comme un large fleuve, entre la cordillère Côtière et les Andes, qu'est située la capitale

▶
Le nom de « Villarrica » désigne à la fois l'un des plus jolis plans d'eau de la région des lacs, une ville agréable, centre de pêche et de villégiature, et un volcan au cône parfait, éblouissant de blancheur.
Phot. E. Guillou

du Chili, Santiago, fondée, il y a quatre siècles et demi, par Pedro de Valdivia sous le nom de Santiago del Nuevo Extremo.

Santiago compte plus de 3 millions d'habitants, le tiers de la population du pays. Les immeubles modernes s'y marient harmonieusement avec l'architecture coloniale sous le ciel bleu des Andes (300 jours de soleil par an), abrités des redoutables vents d'ouest de l'hiver austral par les massifs compacts de la cordillère Côtière. Cette situation privilégiée, entre le Chili minier du Nord et le Chili agricole du Sud, a permis à la ville de se développer sans à-coups depuis 1609, date à laquelle elle supplanta définitivement Concepción comme capitale en hébergeant la *Real Audiencia* au pied de ses deux collines, Santa Lucía et San Cristóbal, aujourd'hui transformées en magnifiques jardins publics.

Le centre de la ville, au pied de Santa Lucía, autour de la Plaza de Armas et au nord de l'Alameda, correspond à l'établissement initial de Valdivia. Cœur de la cité, la Plaza de Armas est un agréable square. De nombreux bancs invitent à s'y délasser en face de la vieille cathédrale où reposent les enfants du pays devenus célèbres, et où l'autel rutilant d'argent est typique de l'art espagnol. Sous les arcades qui bordent la place, on trouve, comme partout dans le monde, les boutiques classiques des vieux quartiers. En flânant dans les rues commerçantes, jalonnées d'immeubles d'affaires, on parvient vite à la Moneda, ancien hôtel de la Monnaie devenu palais présidentiel : c'est là que, en septembre 1973, le président Salvador Allende, au pouvoir depuis trois ans avec la coalition des partis de gauche (Unidad Popular), mourut, les armes à la main, après avoir lutté contre la junte militaire du général Augusto Pinochet qui, depuis, gouverne le Chili.

L'Alameda — à laquelle on donne rarement son nom complet d'Alameda Bernardo O'Higgins — emprunte le cours du río Mapocho, qui a été détourné pour permettre d'ouvrir cette magnifique avenue, large de 100 m. Devenue l'artère principale de Santiago, elle longe l'université, fondée en 1842, puis l'église San Francisco, l'un des monuments les plus anciens de la ville (1550). Victime des tremblements de terre qui jetèrent à bas son clocher, l'église fut restaurée au milieu du siècle dernier. Depuis, elle fait l'objet de soins constants. Heureusement, car le charme de son cloître, où les arbres et les fontaines attirent de nombreux oiseaux, est incontestable. À l'ombre de San Francisco, le musée d'Art colonial a regroupé une collection unique de plus de cinquante tableaux de style baroque, tous consacrés au même thème : la vie de saint François.

En passant par la Bibliothèque nationale (la plus importante d'Amérique du Sud, dit-on), l'Alameda mène au Cerro Santa Lucía, où un vieux canon, braqué sur ce qui reste du fort Hidalgo, tonne tous les jours à midi, rompant ainsi le calme habituel de ce parc ombragé qui domine la capitale d'une petite centaine de mètres.

Seconde colline de Santiago, le Cerro San Cristóbal est plus élevé que le Cerro Santa Lucía : ses 300 m justifiaient la construction d'un funiculaire doublé d'un chemin de fer à crémaillère, mais faire l'ascension à pied, dans les vallées ombragées, offre l'occasion d'une agréable promenade. À mi-pente, on peut faire halte au zoo, qui abrite des échantillons de la faune locale, tels que condors, lamas et vigognes.

Au sommet, une Vierge de l'Immaculée Conception en marbre blanc, haute de 14 m, veille sur la ville. De là, on peut prendre la mesure

de Santiago, dont la banlieue a commencé à s'étendre dans les années 30 et a proliféré pendant la Seconde Guerre mondiale. Vers l'est, c'est le Barrio Alto, quartier résidentiel aisé, avec quelques îlots industriels et populaires ; vers le sud, lotissements et pâtés de maisons se succèdent sur plus de 20 km.

Du Cerro San Cristóbal, on aperçoit aussi quelques-unes des curiosités architecturales de Santiago : Los Sacramentinos, qui est une copie du Sacré-Cœur de Paris, et l'Estado Nacional, gigantesque stade de 80 000 places, ce qui n'a rien d'étonnant dans un pays où le football suscite — comme dans toute l'Amérique latine — une véritable ferveur.

Au pays des « huasos »

Au sud de Santiago, la Panaméricaine aborde la Vallée centrale, toujours enserrée entre la cordillère Côtière et les Andes, bassin agricole par excellence, où les anciennes bourgades rurales de l'époque coloniale sont devenues des villes aux activités industrielles, commerciales et culturelles : Talca, Chillán, Concepción. Le climat est agréable, et les paysages, moins grandioses que dans le Nord, sont pleins de charme. Dans les vallées, toujours dominées par des cimes enneigées, des chemins de terre rouge, encore empruntés par des attelages de bœufs, serpentent le long de paisibles rivières au cours assez régulier, car elles sont alimentées par les pluies en hiver et la fonte des neiges en été.

C'est le pays du *huaso*, le cow-boy chilien, cavalier émérite, dont le costume d'opérette, importé d'Andalousie il y a quelques siècles,

▲
Santiago : ancien hôtel de la Monnaie, puis siège du gouvernement, le palais de la Moneda fut le théâtre, en 1973, de la fin sanglante du régime Allende.
Phot. Barbey-Magnum

▲
Un arc de triomphe, datant de la fin du XIXe siècle, couronne le jardin public qui couvre le Cerro Santa Lucía, l'une des deux collines de Santiago.
Phot. E. Guillou

s'est enrichi des couleurs chères aux Indiens des Andes. Il porte le chapeau plat de Cordoue, un gilet court et cintré, un large bandeau rouge en guise de ceinture, une sorte de mante *(chamanto)* à rayures de couleurs vives, des cuissardes de cuir et de grands éperons d'argent, terminés par une étoile à multiples pointes. Ses pieds reposent dans de lourds étriers de bois très travaillé, en forme de sabots, qui rendent moins fatigantes les longues chevauchées. Les rodéos demeurent les grandes fêtes de cette région : les *huasos* s'y affrontent par équipes de deux *(colleras)* et doivent couper le chemin des bouvillons en les acculant à la paroi de l'arène en certains endroits désignés à l'avance. Ces épreuves sont proches de celles que disputent les cow-boys nord-américains, mais moins variées. Évidemment, les jours de rodéo, le vin et le *pisco*, eau-de-vie nationale, coulent en abondance, ce qui ne donne que plus d'entrain à la *cueca*, la danse du pays. Ainsi sont célébrées les fêtes campagnardes traditionnelles (marquage des jeunes bœufs, vendanges, battage du blé, jadis effectué sur l'aire sous les sabots des chevaux), qui ont résisté à la mécanisation.

L'habitat a, lui aussi, conservé son caractère ibérique : la maison à toit de tuiles romaines, à véranda et à larges couloirs pavés de brique comporte trois ou quatre patios, plantés de massifs de fleurs et d'arbres fruitiers. En dépit de cette tradition espagnole, c'est ici que se sont installés, au siècle dernier, quelques milliers de colons allemands laborieux et obstinés, qui ont largement contribué au développement de la région en y implantant une industrie : usines de conserves, tanneries, moulins, petits centres sidérurgiques auxquels plusieurs centrales hydroélectriques importantes fournissent de l'énergie à bon marché. Les descendants de ces pionniers sont aujourd'hui banquiers, industriels, négociants ou gros propriétaires terriens et, s'ils sont efficaces, ils passent pour faire montre d'un conservatisme un peu rigide et à l'esprit quelque peu militaire...

À 15 km du Pacifique, sur le Bío-Bío, la dynamique Concepción, ancienne capitale du Chili et la cité la plus peuplée après Santiago et Valparaíso, est la grande ville de la région. Centre industriel, c'est aussi un foyer culturel, qui s'est épanoui à l'ombre d'une université toujours fort active, puisqu'elle entretient une station de radio, un théâtre, des musées et une maison de l'Art. Le port tout proche et bien équipé de Talcahuano complète l'éventail de ses possibilités.

Mais surtout, historiquement, Concepción fut la place forte de la «frontière» du Bío-Bío, limite de l'avance espagnole vers le sud, arrêtée par les farouches Indiens Araucans (ou Mapuches, de *mapu*, «pays», et *che*, «natif»). Pendant trois siècles, les Araucans soutinrent une guerre interminable, dite «guerre d'Araucanie», interdisant toute colonisation espagnole au sud du Bío-Bío. Il y a cent ans, le gouvernement de Santiago décida d'en finir avec eux, et ce fut la «pacification» de l'Araucanie. On construisit des forts, qui sont devenus des villes

comme Temuco, où Pablo Neruda passa sa jeunesse. Écoutons-le :

«Contre les Indiens, toutes les armes furent généreusement utilisées : le tir à la carabine, l'incendie des chaumières et, plus tard, d'une manière plus paternelle, le recours à la loi et à l'alcool. L'avocat se fit aussi le spécialiste de leur expropriation, le juge les condamna quand ils protestèrent, le prêtre les menaça du feu éternel. Et enfin l'eau-de-vie acheva d'anéantir

une race farouche dont les exploits, le courage et la beauté furent gravés en strophes d'airain et de jaspe par Alonso de Ercilla dans son *Araucana.* »

Temuco est aujourd'hui considérée comme la capitale de l'Araucanie, où les Araucans s'administrent eux-mêmes. Vêtus, comme dans le temps, de robes colorées, souvent pieds nus, le visage et le corps peints, ils apportent les produits de leurs villages au marché de la ville.

▲
Impeccable dans son costume de fête, un huaso *de la Vallée centrale attend le rodéo qui va lui permettre de faire la preuve, devant un public de connaisseurs, de ses talents équestres.*
Phot. M. Bruggmann

La région des lacs,
« jardin des dieux »

Une fois passé la vieille ville de Valdivia, autre place forte espagnole, on aborde la région des lacs, dont les Chiliens ne se lassent pas de célébrer la beauté en termes emphatiques, « jardin des dieux » n'étant pas, et de loin, le plus fort. Le pays regorge de volcans et de lacs (25 d'entre eux ont de 15 à 900 km^2), et des forêts de conifères (dont l'araucaria, l'arbre des Araucans) couvrent les pentes neigeuses des Andes, tandis que les vallées sont le domaine du blé et, surtout, des pâturages.

Laissons Pablo Neruda décrire la beauté de la forêt chilienne : « Les pieds s'enfoncent dans le feuillage mort, une branche fragile a crépité, les raulis (ou hêtres du Chili) géants dressent leur stature hérissée, un oiseau de la jungle froide passe, bat des ailes, s'arrête dans les branchages noirs. Et puis, de sa cachette, sa voix s'élève comme un hautbois... Mon nez reçoit et transmet à mon âme l'odeur sauvage du laurier, l'essence indéfinissable du boldo... Le cyprès des Guaítecas me barre le chemin... C'est un monde vertical : une nation d'oiseaux, une foule de feuilles... Je trébuche sur une pierre, je gratte la cavité découverte, une énorme araignée aux cheveux rouges me regarde de ses yeux fixes, immobile, grosse comme une écrevisse... Un carabe doré me crache son effluve méphitique tandis que disparaît comme un éclair son radieux arc-en-ciel... Poursuivant, je traverse un bois de fougères beaucoup plus grandes que moi : celles-ci laissent choir de leurs yeux verts et froids soixante larmes sur mon visage et font frémir longtemps encore derrière moi leurs éventails... Un tronc pourri :

▲
Les derniers descendants des farouches Indiens Araucans, qui tinrent longtemps tête aux Espagnols, viennent vendre les produits de leurs fermes sur le marché de Temuco.
Phot. A. Robillard

▲ *Conifère typique du pays des Araucans, l'araucaria aux feuilles écailleuses pousse sur certaines pentes de la cordillère des Andes, au sud du río Bío-Bío.*
Phot. Beebe-Image Bank

▶ *À l'extrémité sud de la cordillère des Andes — la plus longue chaîne de montagnes du monde (7 000 km) —, les pointes acérées des Torres del Paine se dressent en plein ciel.*
Phot. M. Bruggmann

ô quel trésor !... Des champignons noirs et bleus lui ont donné des oreilles, de rouges plantes parasites l'ont couvert de rubis, d'autres plantes paresseuses lui ont prêté leurs barbes et, rapide, un serpent jaillit de ses entrailles putréfiées, telle une émanation, comme si s'échappait l'âme de ce tronc mort... Plus loin, chaque arbre s'est séparé de ses semblables. Ils se dressent sur le tapis de la forêt secrète, et chaque feuillage, linéaire, frisé, branchu, lancéolé, a un style différent, comme coupé par des ciseaux aux mouvements infinis... Une ravine : sous l'eau transparente elle glisse sur le jaspe et le granite... Un papillon pur comme un citron vole en dansant entre l'eau et la lumière... À mon côté, des myriades de calcéolaires me saluent de leurs petites têtes jaunes... Là-haut, gouttes artérielles de la forêt magique, ondulent les copihues rouges... Le copihue rouge est la fleur du sang, le copihue blanc est la fleur de la neige. Dans un frisson de feuilles, la vélocité d'un renard a traversé le silence, mais le silence est la loi de ces feuillages... À peine le cri lointain d'un vague animal... L'intersection pénétrante d'un oiseau caché... L'univers végétal susurre à peine jusqu'au moment où une tempête déclenche toute la musique terrestre... Qui ne connaît pas la forêt chilienne ne connaît pas cette planète. »

Précisons que le copihue (Lapageria rosea) rouge, rose ou blanc, fleur nationale du Chili,

fleurit d'octobre à juillet ; on l'appelle aussi « gouttelette de sang indien ».

Pour autant que l'on puisse comparer un pays à un autre, c'est au Canada des lacs et des Rocheuses que cette région du Chili ressemble le plus. Les cascades et les torrents y sont aussi nombreux, et leurs eaux sont peuplées de truites et de saumons parfois énormes. En plus, on y trouve des volcans aux cônes usés, dont les pentes sages, couvertes de neige, ajoutent à l'ensemble une touche japonaise. Des 25 lacs, nous ne citerons que le Llanquihue, le plus grand avec ses 900 km², ses eaux bleues et limpides reflètent les neiges du magnifique volcan Osorno, dont la blanche pyramide atteint 2 661 m. Hélas ! des usines — dont une sucrerie — se sont établies sur ses berges romantiques et y ont planté leurs nauséabondes cheminées.

À une vingtaine de kilomètres du Pacifique, au confluent de deux rivières, Valdivia est la ville la plus importante de la région des lacs. Le conquistador Pedro de Valdivia la fonda en 1552, mais, sous la vive pression des Araucans, dut bientôt l'abandonner, pour la sécurité du Nord. Il fallut attendre la deuxième moitié du XIXe siècle pour que le président Montt envoie Vicente Pérez Rosales réoccuper les vestiges du vieux fort espagnol bâti dans l'estuaire, dont on peut encore admirer les canons de bronze pointés en direction de la mer.

Pérez fit venir des cultivateurs allemands, qui donnèrent à la région, à ses granges et à ses fermes une allure nettement germanique. Détruite en 1960 par un tremblement de terre qui provoqua un gigantesque incendie, Valdivia est maintenant reconstruite dans un style moderne.

Ni rail ni route, rien que la mer

À 200 km de Valdivia, au bord d'un immense golfe bien abrité — le golfe d'Ancud —, la voie du chemin de fer s'arrête brusquement. La route aussi. Nous sommes à Puerto Montt, trait d'union entre le Chili continental, que nous venons de traverser dans toute sa longueur, et le Chili insulaire, auquel le cap Horn met un point final à quelque 1 700 km de là, à l'extrême sud des Amériques.

Puerto Montt a conservé ses maisons de bois à toit de tuiles du siècle dernier. Grande attraction pour les artistes et les gastronomes : dans la crique d'Angelmo, des charrettes entrent dans l'eau jusqu'au moyeu pour décharger les barques arrivant de l'île Chiloé, pleines à ras bord d'huîtres, de moules, de coquillages et d'araignées de mer.

La ville doit son nom au grand homme d'État chilien Manuel Montt, un universitaire qui fut président de la République de 1851 à 1861. Il mit le Sud en valeur, développa les voies de communication, rédigea un Code civil inspiré de celui de Napoléon, abolit le droit d'aînesse et modernisa l'enseignement. Ses deux fils, Jorge et Pedro, furent également présidents,

sans se succéder : le premier gouverna de 1891 à 1896, le second de 1906 à 1910.

Au sud de Puerto Montt, le seul moyen de transport est le bateau. Les immenses vagues grises de l'océan, ourlées d'écume et auréolées d'embruns, déferlent sur une infinité d'îles, d'îlots, de caps et de fjords jusqu'à l'île Horn, au sud de la Terre de Feu, celle qui se termine par le fameux cap Horn.

Dans la zone australe, il tombe 5 m d'eau par an, le soleil ne se montre que pendant deux mois, et la tempête fait rage pendant trois mois. Les pêcheurs de l'île Chiloé, à 60 km de Puerto Montt, n'ont pas la vie facile. L'île conserve des souvenirs de la colonisation espagnole, notamment de nombreuses églises en bois, construites sans un seul clou et gauchement décorées par les habitants, dans un style à la fois baroque et naïf. La pomme de terre pousse dans l'île à l'état sauvage, ce qui indique qu'elle est originaire de la région.

Ici commence la Zona de los Canales (« Zone des canaux »), labyrinthe marin, chaotique et dantesque, entre les îles et le continent creusé de profondes saignées glaciaires. Les seuls moyens d'existence de la région sont l'élevage des moutons (les plus laineux du monde) et la pêche, périlleuse sur cette mer dangereuse.

La province la plus méridionale s'appelle Magallanes, et sa capitale, Punta Arenas (« Pointe de sable »), est située au milieu du détroit de Magellan (c'est en 1520 que le navigateur portugais Fernão de Magalhães — que les Français appellent Magellan et les Espagnols Magallanes — découvrit, au nord de la Terre de Feu, ce passage entre l'Atlantique et le Pacifique, qui évite de doubler le redoutable cap Horn).

En dépit de sa latitude (53⁰ S., alors que Le Cap, en Afrique, n'est qu'à 34⁰), Punta

▲ À Punta Arenas, que le détroit de Magellan sépare de la Terre de Feu, les bâtiments de rondins du vieux fort Bulnes abritent maintenant un musée régional.
Phot. M. Bruggmann

Arenas, ancien centre de chasseurs de phoques et de baleines, est une ville agréable et active. De nombreux bateaux y font escale, on y travaille la laine, on y congèle de la viande et on y met en conserve les énormes araignées de mer locales. Et puis il y a le pétrole de la Patagonie chilienne, qui attire de plus en plus de monde dans l'agglomération la plus méridionale du globe (si l'on excepte, en Terre de Feu argentine, la petite bourgade d'Ushuaia).

Si la Terre de Feu est l'archipel formant la pointe de l'Amérique du Sud, cette appellation désigne aussi son île principale, que se partagent l'Argentine et le Chili. Elle fut découverte en 1520 par Magellan, qui lui donna ce nom à cause des feux allumés sur la côte par les habitants, des Indiens Fuégiens. L'endroit n'a rien d'un paradis. Des falaises de granite escarpées marquent la fin de la cordillère des Andes et, à l'intérieur de la grande île battue par les vents, les sommets dépassent 2 000 m. À cause du climat froid, humide et brumeux, la limite des neiges éternelles se situe à 700 m d'altitude seulement. Au-dessous, forêts, tourbières et prairies alternent. La faune, assez pauvre, se limite à des guanacos, des rats à

peigne (tucotucos) et des coypous, rongeurs qui ressemblent à des castors et que les fourreurs appellent «ragondins». Quant aux Fuégiens, Onas ou Yahgans, pêcheurs et chasseurs de phoques, ils ignorent l'agriculture et n'ont pratiquement aucune relation avec le monde civilisé.

Au sud, le cap Horn, du haut de sa falaise de 580 m, est la fin d'un continent, mais pas celle du Chili, qui, à 1 000 km de là, dans l'Antarctique, se prolonge par un secteur de 1 250 000 km^2, où a été édifiée la base de recherche O'Higgins. L'été, la calotte de glace qui recouvre la région fond quelquefois sur la côte, découvrant un sol parsemé de lichens et de pierres sur lequel les oiseaux — notamment les manchots — font leur nid. La mer froide recèle d'immenses réserves de plancton, qui nourrissaient jadis de nombreuses baleines. Mais l'homme est passé par là, et les baleines sont devenues rares...

Ainsi s'achève, dans la neige et la glace de l'Antarctique, la visite d'un pays qui, à plusieurs milliers de kilomètres au nord et dans un paysage bien différent, avait aussi commencé dans la glace et dans la neige, celles des Andes ■ Gérald PECHMÈZE

▲
Terreur des navigateurs du temps jadis, le cap Horn, ultime avant-poste américain face aux solitudes glacées de l'Antarctique, est plus souvent battu par la tempête que baigné par cette mer d'huile !
Phot. M. Bruggmann

▲
Dernière agglomération desservie par la route et le chemin de fer, Puerto Montt est la porte du long chapelet d'îles et d'archipels qui s'étire vers le sud jusqu'à la Terre de Feu.
Phot. Villota-Image Bank

▶
Sur les hauts plateaux des Andes, les visiteurs sont rares, et l'on comprend que la présence d'un photographe éveille la curiosité des lamas.
Phot. Gohier-Pitch